JE SUIS NOIR ET JE N'AIME PAS LE MANIOC

Directeur artistique : Pierre Riollet
Maquette intérieure : Céline Marie
Photographie de couverture : Julien Caïdos et Jean-Marie
Laborier

Max Milo Éditions
Collection *Mad* Max Milo, Paris, 2003
www.maxmilo.com
ISBN : 2-914388-54-3

Gaston Kelman

Je suis noir et je n'aime pas le manioc

Max Milo Editions

À ma fille, Frida, qui est marron clair et doit le rester
À mon fils, Enzo, dont je ne voudrais pas qu'il soit Black.
À Saté, mère adorable et aimée de Black et de Marron

Mais aussi

À Mourad, Kodjo, et bien d'autres, de cette race de
jeunes immigrés sur qui la fatalité et le mythe
de l'éboueur n'ont pas eu de prise et qui a trouvé
sa voie dans l'entreprise.
À Bouba le Magnifique, pour sa conquête de la
citoyenneté absolue, soldat d'élite dans l'armée
française.
À Marcel, Henri, Bernard, Claire, Jacques et les autres
Caucasiens amis, parrains et marraines de
ma bourguignonisation.
Et à Rolland et Romuald victimes tombées sous les
coups insensés de l'errance des Blacks.

Mais encore

À ma mère et à toi ma sœur Antoinette Ngo Nyemb,
la vie continue!

Et enfin

À vous mes regrettés Georgie, Fabien, Maman-man,
où que vous soyez.

Sommaire

INTRODUCTION

Est-ce que la couleur de la peau d'un homme a plus d'importance que la couleur de ses yeux ou celle de ses cheveux ? Est-ce que la race dote les individus de caractéristiques spécifiques qui détermineraient leurs comportements de toute éternité ?

Est-ce que les Noirs sont faits pour le sport ou les arts mineurs, et les Blancs pour le raisonnement logique et scientifique ? Césaire disait : « On avait fourré dans sa pauvre tête qu'une fatalité pesait sur lui qu'on ne prend pas au collet ; qu'il n'avait pas puissance sur son propre destin; qu'un Seigneur méchant avait de toute éternité écrit des lois d'interdiction en sa nature pelvienne; de croire honnêtement à son indignité, sans curiosité perverse de vérifier les hiéroglyphes fatidiques[1]. »

Est-ce qu'une malédiction divine pèserait sur le Noir, malédiction qui en ferait un subalterne éternel? Est-ce que l'histoire de Cham, fils de Noé, est mythe ou réalité?

Aujourd'hui, ces théories qui ont fait le lit de la diabolisation du Noir sont encore présentes dans la société, française en particulier. Sinon, comment expliquer la traite des Nègres pas si lointaine que cela dans les esprits? Sinon, comment expliquer le colonialisme, la mission civilisatrice de l'homme blanc? Comment expliquer le choix de la main-d'œuvre africaine pour des boulots subalternes et le mythe tenace de l'éboueur qui en a résulté?

De façon inconsciente, le Noir lui-même est convaincu de son infériorité. Il serait regrettable qu'à ce jour certaines personnes noires continuent à le nier, car cela signifierait qu'elles n'en sont même pas encore au niveau de la prise de conscience, étape incontournable avant toute action libératrice. Comment expliquer autrement ces propos du président d'un pays africain qui compare l'Afrique tout entière à un véhicule (peut-être même une bête de somme) dont le conducteur serait la France?

Aujourd'hui, la société française n'arrive pas à assumer sa multiracialité. De nombreuses personnes ont toutes les peines à comprendre que l'on puisse être noir et français. Les originaires des Caraïbes françaises ne sont-ils pas antillais quand ils sont noirs et européens quand ils sont blancs? Le Noir lui-même se conçoit-il comme Français ou Européen? Dans un autre contexte historique, ne trouve-t-on pas des réactions similaires? L'Américain de lointaine origine africaine n'est-il pas le seul, dans le pays du *melting-pot*, dont l'identité et la personnalité jugées inférieures sont systématiquement liées à sa couleur?

---

1. Aimé Césaire, *Cahier d'un retour au pays natal*, Éditions Présence africaine, Paris, 1983, p. 59.

La question que l'on est en droit de se poser est la suivante : comment peut-on vivre en France, quand on est Noir, mais français et non africain, cadre et non éboueur? Il se trouve que de plus en plus de personnes refusent de laisser la couleur de la peau déterminer leur passé et leur futur.

On observe souvent des phénomènes exceptionnels, tels que des enfants noirs naissant au sein de couples blancs de souche. Imaginez le calvaire d'un tel enfant, né et élevé en Bretagne, de parents typiquement bretons blancs. Et chaque fois qu'il traverse la rue, on lui pose des questions sur ses origines que l'on voudrait africaines. À chaque rentrée scolaire, les professeurs lui demandent ses origines. Et quand il répond qu'il est breton, on insiste pour connaître ses « vraies » racines. Il est obligé de se créer une nouvelle identité et de prétendre qu'il est arrivé avec l'*Erika* ou l'*Amoco Cadiz*.

On peut tout à fait être Noir, Bourguignon, cadre. Je n'accepte pas que mon fils et ma fille, nés en France, soient enfermés dans des schémas préétablis et à jamais pétrifiés, qui les associeraient viscéralement au Zambèze et non à la Corrèze ; qui leur feraient préférer la chenille de Ngoulemekon à l'huître d'Oléron ; la danse *dombolo* kinoise à la valse viennoise.

Si la différenciation avec ses formes plus ou moins barbares – chauvinisme, sectarisme, intolérance, ethnocentrisme, racisme – est consubstantielle du genre humain, le Noir devra apprendre à supporter le racisme et à ne pas s'appuyer sur lui pour justifier un quelconque échec. Il devra vivre et lutter, en attendant qu'il se hisse à un niveau où il cédera la place du discriminé à un autre groupe.

Il devra vivre en attendant qu'il atteigne un stade où la discrimination qu'on exercera sur lui ne sera plus *raciale*, mais *ethnique, générationnelle ou générique*. On parlera peut-être alors d'antisoudanisme, antibantouïsme, antizoulouïsme, comme on dit antijuif, antijeunisme ou antiféminisme.

Si le Noir n'est pas encore arrivé à ce point, si objectivement il a peu de raison d'être fier de ce qui lui arrive, mais surtout de ce qu'il fait pour en sortir, il est temps qu'il se soigne ou qu'il se suicide et que l'on en finisse.

13

Alors, aujourd'hui, je vous le dis tout net : je suis noir et je n'aime pas le manioc en tubercule, mais je ne dis pas non au manioc en *ntumba* ; je n'aime pas le plantain vert mais *aloko frit* ; je n'aime pas les chenilles mais les huîtres ; j'aime la viande en sauce graine de mon amie Sylvie Nguessan autant que le steak tartare et la pièce du boucher bien saignante de *Chez Ginette* ou faite par mon amie Mireille Moulin. Ce sont mes choix, pas le régime alimentaire des Noirs. Ce sont les acquis culturels récoltés dans les différents espaces de vie qui ont fait de moi l'homme que je suis. Parce que pour moi aussi, l'existence précède l'essence, je suis né bébé et noir ; je suis devenu homme et français.

Ce livre est un recueil d'anecdotes, d'histoires vécues. L'objectif est de montrer à quel point nous sommes marqués par des atavismes qui nous empêchent de vivre normalement, de juger l'homme par ce qu'il est et non par ce qu'il paraît ou est supposé être de toute éternité. Il nous invite sans fausse pudeur, ni fausse modestie, mais avec la conviction d'être dans le vrai, à faire tomber les œillères et les boules auditives qui nous empêchent de voir la place de la multiracialité française et d'entendre la misère assourdissante des enfants black-blanc-beur qui ne veulent pas que nous les enfermions dans des catégories qui ont nourri les générations d'adultes. Il voudrait que la fraternité recouvre la nouvelle France dont la diversité n'englobe plus seulement l'Auvergne, la Normandie ou la Corse, mais aussi le Négro-Africain, l'Indo-Tamoul ou l'Arabo-Berbère.

Pêle-mêle

Ne dites pas à la France qu'elle est multiraciale[2]. Elle se croit multiculturelle.

La France n'est pas encore – ne peut pas encore être – multiraciale parce qu'elle *racialise* les rapports sociaux; parce que les catégories socioprofessionnelles sont inscrites

---

[2]. Nous savons qu'il n'existe qu'une race humaine, comme il existe une race canine, bovine ou ovine. La notion de « races » humaines n'est donc pas adaptée, ni celle de « racisme ». Toutes deux sous-entendent par conséquent qu'il faudrait opérer une hiérarchie au sein de la « race » humaine. Les termes entourant la « race » sont donc utilisés ici dans cette acception.

sur les faciès ; parce qu'il y a le mythe de l'éboueur qui cède de plus en plus la place à celui du Black sans que l'on puisse dire qu'il s'agit d'un progrès, puisque le travailleur subalterne devient chômeur, assassin et fleur de Fleury.

La France n'est pas encore multiraciale parce qu'elle est dominée par les démons d'un passé omniprésent peu louable, mais surtout parce qu'elle ne veut pas exorciser ce passé et préfère cacher le Noir dans l'ombre, loin de la fenêtre télévisuelle – une grosse absence dans l'audiovisuel – ou de la chose politique – peu ou pas de représentants dans l'encadrement des partis –, en falsifiant les statistiques réelles sur les Noirs derrière des prétextes humanisés. Et pour qu'il soit toujours le moins visible, dans un insoutenable et avilissant jeu de cache-cache, on le débaptise le plus souvent ; au gré des sanglots de remords. Alors, on passe du Nègre au Noir, du Noir à l'homme de couleur et enfin – pour le moment – de l'homme de couleur au Black ou au *renoi*… La France n'est pas encore multiraciale parce qu'elle est encore *racialiste*, comme disent les Anglais, ou raciste pour parler français.

Il est pourtant indéniable aujourd'hui, que dans sa composition ethnique, la France – certainement autant sinon plus que l'Angleterre – est la nation la plus multiraciale après les États-Unis. Et ça n'arrête pas ! Après les Noirs et les Arabes, nous eûmes les *boat people* asiatiques. Aujourd'hui, la vague est turque et tamoul. Une véritable mosaïque de peuples.

La France est multiraciale, mais préfère entretenir le débat confus et trompeur sur ce que l'on appelle culture plurielle ou multiculturalité. Je me suis toujours demandé ce que l'on collait derrière ces mots, derrière ces expressions. Si l'on veut dire que la culture française est un tout, composé de plusieurs entités, selon les régions, les religions, les origines de ses populations, leur lieu de vie, leurs âges, les catégories socioprofessionnelles, pour ne citer que ces critères, alors je me dis, la belle découverte ! franchement, à mon humble avis, on n'a pas fait mieux dans le sens de la découverte originale et révolutionnaire depuis l'invention de l'eau chaude et du fil à couper le beurre. Existe-t-il en ce bas monde et en cette haute France un lopin de terre qui ne soit multiculturel? Dans notre modeste F 4 familial de Courcouronnes, se côtoient déjà plusieurs cultures, cultures générationnelles et territoriales, celle de mes enfants, adolescents ronchons et franciliens, la mienne d'adulte bougon et *bourguignon*, et celle que souhaite imposer mon épouse, féminisée, féminine ou féministe.

Si l'on veut dire qu'aujourd'hui, la France doit ingérer de nouveaux courants culturels venus d'autres pays, franchement, là non plus, je ne vois pas matière à big-bang social. De nouveaux courants migratoires, le Finistère européen qu'est la France en a connus et accueillis de tout temps. Celtes, Romains, Germains, Visigoths, Ostrogoths, Vikings, Danois, Lombards, Saxons, Arabes (qui se souvient et qui a besoin de se souvenir que notre bien française Ramatuelle dérive de l'Arabe *ramat Allah* qui signifie la miséricorde de Dieu...), Polonais, Russes, Espagnols, Italiens, Portugais, tous ces peuples et bien d'autres encore sont venus les uns après les autres enrichir la culture française de leurs spécificités linguistiques, artistiques, gastronomiques, scientifiques, qui tôt ou tard deviennent solubles dans le corpus national sans cesse renouvelé, remodelé, déformé, transformé, métissé, enlaidi, embelli, enrichi, appauvri, anobli. Ces migrants, souvent envahisseurs, avaient ou n'avaient pas l'envie ou les moyens de *multiculturaliser* la France ou de la *pluriculturaliser*. Ça ne change rien à l'affaire. Tout contact avec l'autre crée des interférences culturelles plus ou moins fortes, plus ou moins lentes à se dissoudre dans le modèle dominant. Même les vaincus peuvent prendre leur revanche et coloniser culturellement les vainqueurs: « La Grèce conquise [par Rome] conquit son farouche vainqueur et emporta les arts dans le sauvage Latium. »

Même si un ancien ministre a préconisé de franciser tous les anglicismes de la langue française, il faudra du temps pour qu'un *hot dog* devienne « chien chaud », pour qu'un *scotch on the rocks* se transforme en « Écossais sur les rochers ». Et puis, il faudra faire attention avec les faux amis et autres faux-semblants. À ce qu'il paraît, *challenge* est le mot français et *défi*, son équivalent anglais.

Dans le cadre des migrations internes, l'exode rural des années 1950 a entraîné des bouleversements bien importants. Et là, l'étranger en Île-de-France, c'était le Breton de Clichy et l'Auvergnat de Paris qui ont eux aussi assez fortement modifié la face socioculturelle de Paris. Eux aussi ont caressé le rêve du retour et certains sont en effet repartis en laissant sur place des enfants qui sont devenus de purs franciliens.

La mondialisation ne fait rien d'autre que faciliter la migration des cultures d'un pays à l'autre. Le café, le thé, le McDonald, le nem, le tiebdien, le couscous, tous ces éléments exotiques participent à l'enrichissement multiculturel de la France et un jour, de multiculturels, deviennent tout simplement culturels. Il y a une quinzaine d'années, la publicité du couscous que l'on disait *arabe* était faite par des Arabes. Qui ne se souvient de l'accent et des mimiques du type enturbanné et en djellaba qui disait : « Couscous Garbit, c'est bon comme là-bas, dis ! » Et l'autre à l'accent et au port tout aussi arabesques qui lui répondait en se triturant le bouc : « Ye souwis d'acco'. » Aujourd'hui, personne n'irait contester la place du couscous dans la culture gastronomique française, dont la publicité est d'ailleurs faite désormais par de vielles Bretonnes en tenue traditionnelle : « Tipiak ; Pirate ! » Qui dit mieux en matière de France très, très profonde ? Bye bye couscous Garbit de là-bas ! Bonjour, couscous Tipiak bien de chez nous. Mais Tipiak ou Garbit, le couscous lui, n'a pas changé. Ce sont les mentalités qui ont évolué pour l'adopter et pour le « désétrangéiser », pour le désaliéner.

La France ne veut pas être multiraciale, et pourtant elle l'est, même si elle s'entête à l'ignorer. Les débats se focalisent sur la terminologie – insertion, intégration, assimilation et que sais-je encore – à l'heure où en région parisienne, dans certaines classes du primaire, on ne trouve pas un seul

Caucasien, rien que des sémites, des chamites, et des mongoloïdes. Et la progression de la multiracialité ne va pas s'arrêter dans les vingt prochaines années, puisque ce sont les Noirs qui font le plus d'enfants. Il suffit pour cela de faire un tour à l'hôpital d'Évry-Courcouronnes. Une puéricultrice de ce centre hospitalier me disait en substance : « Si ces gens n'étaient pas en France, la maternité aurait fermé et moi je perdais mon boulot. »

La multiracialité est d'autant moins acceptée que l'autre, le dernier venu, le plus visible, n'est pas supposé enrichir la France. Il est même supposé l'appauvrir socialement, avec le retard que les enfants d'immigrés causent dans les écoles, économiquement avec les allocations diverses qu'il pille et le chômage auquel il est exposé du fait de son niveau zéro de formation, et bien d'autres tares dont il est le porteur parfois réel, parfois supposé.

La situation devient plus grave quand on sait que cet autre, le Noir et l'Arabe – mais ce travail est exclusivement centré sur le Noir –, le plus visible des étrangers, vient d'un peuple jugé congénitalement subalterne. Il y a même eu des évaluations au crâniomètre qui cherchaient à prouver que, de par la forme et la taille de son crâne, l'Africain ne peut pas être aussi intelligent que le Californien. Cet autre est inférieur par la volonté même de Dieu – le mythe de Cham. Cet autre est ancien esclave, ancien colonisé, ancien, actuel et futur travailleur immigré. Cet autre n'échappe pas à cette stigmatisation, même quand il est né sur les bords de la Seine, de l'Oise, du Rhône ou de la Marne, car ce qui importe aujourd'hui, comme hier – j'espère que demain ne sera pas fait de la même toile –, c'est la couleur de la peau.

Il y a plusieurs types de racismes dont trois me paraissent les plus appliqués au Noir. Les deux premières formes de racisme peuvent être illustrées par une terminologie tirée des Écritures saintes. Normal ! Il s'agit du comportement de la fille aînée de l'Église. Il y a donc le racisme diabolique et le racisme angélique. La troisième forme est plus subtile, plus moderne, plus sournoise. C'est le racisme de stigmatisation et d'essentialisation, celui-là qui réussit, finesse ultime, à acquérir l'adhésion de la victime à l'analyse et aux thèses de son bourreau.

Le racisme diabolique est un racisme franc et direct, sans fioriture ni faux-semblant, qui affiche fièrement son rejet, son mépris, sa diabolisation et son infériorisation des autres races. Il utilise tous les moyens en son pouvoir – science, religion, morale, force – pour prouver l'infériorité originelle de l'autre. Nous connaissons tous le mythe de Cham, le fils de Noé le héros du Déluge. Cham se serait moqué de la nudité de son père ivre. Il aurait été maudit par celui-ci qui lui aurait prédit une destinée d'esclave au service de ses frères Sem et Japhet, les ancêtres des peuples blancs, bien entendu. Cela aurait été trop facile de s'arrêter au fautif. Il a fallu que nous héritions tous, à partir de Canaan, le fils de Cham, de cette lointaine et diluvienne malédiction : « Les pères ont mangé la manne verte dans le désert et les fils en ont eu les dents agacées. »

Cheikh Anta Diop[3] a écrit les plus belles lignes sur le processus historique d'infériorisation moderne du Nègre. L'écrivain commence par resituer le phénomène dans son contexte. « C'est au début de cette période que l'Amérique fut découverte par Christophe Colomb. [...] La mise en valeur des terres nécessita une main-d'œuvre à bon marché. L'Afrique [...] apparut alors comme le réservoir humain tout indiqué où il fallait puiser une telle main-d'œuvre[4]. » L'auteur aura démontré auparavant le rôle essentiel de la race nègre dans l'émergence de la civilisation humaine en Égypte. Il soutient la thèse hautement argumentée et farouchement contestée par l'Occident : la civilisation égyptienne pharaonique était nègre. En effet, pour légitimer la traite, l'Occident se trouve dans l'obligation de nier ce passé que, au demeurant, très peu de gens connaissent.

---

3. Cheikh Anta Diop (1923-1986), grand penseur sénégalais, auteur de nombreux ouvrages dont *Nations nègres et culture*, publié aux éditions Présence africaine en 1954, dans lequel il revendique la paternité noire des pyramides et de la civilisation égyptienne. Il a fortement influencé la pensée africaine et beaucoup de jeunes penseurs noirs se réclament de son école.
4. Cheikh Anta Diop, *Nations nègres et culture*, Éditions Présence africaine, Paris 1954, 1979, p. 53.

Cheikh Anta Diop poursuit : « Nègre devient désormais synonyme d'être primitif, inférieur, doué d'une mentalité pré-logique. Et comme l'être humain est toujours soucieux de justifier sa conduite, on ira même plus loin ; le souci de légitimer la colonisation et la traite des esclaves – autrement dit, la condition sociale du Nègre dans le monde moderne – engendrera toute une littérature descriptive des prétendus caractères inférieurs du Nègre. [...] L'opinion occidentale se cristallisera et admettra instinctivement comme une vérité révélée que Nègre = Humanité inférieure. [...] Comble de cynisme : on présentera la colonisation comme un devoir d'humanité, en invoquant la mission salvatrice de l'Occident auquel incombe la charge d'élever l'Africain au niveau des autres hommes... Tout au plus reconnaîtra-t-on au Nègre des dons artistiques liés à sa sensibilité d'animal inférieur. Telle est l'opinion du comte de Gobineau qui dans son livre célèbre, *De l'inégalité des races humaines* [1853-1855], décrète que le sens de l'art est inséparable du sang des Nègres ; mais il réduit l'art à une manifestation inférieure de la nature humaine : en particulier le sens du rythme est lié aux aptitudes émotionnelles du Nègre[5]. » Et pour conclure cette cavalcade de l'infériorisation du Nègre et de son essentialisation, l'auteur cite une œuvre incontestablement majeure, universelle, qui va dans le même sens. Il s'agit du *Dictionnaire Larousse*[6], qui définit ainsi le Nègre : « Latin *niger* : noir ; homme, femme à peau noire. C'est le nom donné spécialement aux habitants de certaines contrées d'Afrique... qui forment une race d'hommes noirs, inférieure en intelligence à la race blanche, dite caucasienne. »

Après le racisme diabolique, vient le racisme angélique, fait de paternalisme, d'apitoiement sur le sort de ces pauvres gens. C'est la résultante du sanglot de l'homme blanc pris de remords pour l'ancestral racisme diabolique de son peuple envers le Noir. Je ne nie pas qu'il y ait de la sincérité dans les

---

5. *Ibid*, pp 53-54.
6. *Nouveau dictionnaire illustré Larousse*, 1905, p. 516.

sentiments et les sanglots. L'action humanitaire et une certaine forme de coopération en sont les manifestations les plus visibles. Après tout, toute larme n'est pas saurienne, c'est-à-dire qu'il n'y a pas que les crocodiles qui pleurent! Mais de même que le chemin de l'enfer est pavé de bonnes intentions, sous prétexte de racheter la vilenie passée, l'on enfonce encore le Noir par une complaisance coupable et infantilisante de Dame patronnesse. Puisque nous sommes « issus d'un peuple qui a beaucoup souffert et qui ne veut plus souffrir », comme le dit le rappeur Tonton David, nos nouveaux amis vont nous passer tous nos caprices et nous aider à nous embourber le plus profondément possible. Ce comportement fait penser à celui que l'on adopte envers un enfant handicapé, venant d'un pays pauvre et victime de guerre. On lui passe tous ses caprices, quitte à en faire un petit monstre, sous prétexte qu'il a beaucoup souffert.

On trouve enfin le racisme de stigmatisation et d'essentialisation. Comme le racisme diabolique, il puise sa légitimité dans des approches très savantes, de la sociologie à l'anthropologie, en passant par l'ethnologie. Il attribue à une race des caractéristiques spécifiques. Ces caractéristiques comportementales seraient congénitales, immuables comme les caractéristiques physiques, dont la couleur de la peau est la plus visible. Ces caractéristiques, on les retrouverait à l'identique à travers les ères, à travers les siècles et les générations, les espaces sociaux, les groupes sociaux. Ainsi, quand on est noir, que l'on soit riche ou pauvre, du Xe ou du XXe siècle, Noir caduc ou Noir débutant, Noir des villes ou Noir des champs, cultivé ou analphabète, bouddhiste, hindouiste, shintoïste, agnostique, musulman ou chrétien, d'éducation congolaise, française, guatémaltèque ou serbo-croate, quand on est noir, on est tous pareils, et l'on est guidé par les mêmes repères comportementaux comme le rythme ou le rire : une espèce d'instinct animal en somme !

Comme pour les animaux, ces repères seraient inscrits dans les gènes, dans le sang, et se transmettraient de façon héréditaire, sans aucune place pour la société et le rôle qu'elle joue dans l'éducation et la construction des identités. Ainsi, qu'il soit élevé en Chine par des parents adoptifs chinois ou à Kinshasa par des parents biologiques congolais, l'enfant d'origine zaïroise a le rythme *dombolo* dans le sang, tout comme le chien aboie, tout comme l'âne braie et que le cheval hennit, tout comme le chat miaule, tout comme l'éléphant barrit, peu importe le pays où ces animaux vivent. Et le sommet de la perfection du système est que, grâce au mécanisme d'essentialisation, on finit par convaincre la victime qu'elle entre dans la catégorie que l'on a dressée pour elle. Les Noirs sont très heureux qu'on leur ait concédé qu'ils ont le rythme dans le sang et je me demande combien de Noirs savent aujourd'hui qu'ils n'ont pas le rythme dans le sang. Combien ont enfin compris en voyant tous les jeunes des banlieues sans distinction de couleur, danser le *dombolo*, la *break dance* et autres rythmes *hip hop*, que le rythme n'est pas hérédité mais acquisition au sein de la société ?

Si le racisme diabolique perd du terrain, s'il a pris un sacré coup avec la disparition du Ku Klux Klan et de l'apartheid, les autres formes sont plus vivaces que jamais. Les mouvements migratoires et les nouvelles relations interraciales qu'ils ont établis, ont exacerbé ces autres formes de racisme. En effet, aujourd'hui, les choses ne sont plus aussi simples que sous l'esclavage, quand on pouvait rédiger allègrement un code noir sans émouvoir personne, couper le jarret ou l'oreille d'un Nègre marron ; ou sous la colonisation française, avec son nouveau code noir dénommé indigénat, son discours sur l'inégalité des races et la concession faite de temps en temps à un Noir d'accéder au statut d'évolué.

Avec le dangereux mélange des genres qui prétend que tous les hommes sont égaux[7], les races convaincues de leur supériorité n'ont d'autres moyens de se protéger que d'avoir recours à la ruse. Ainsi, on invente de nouvelles formes de racisme, parées d'habits et d'intentions angéliques, capables de convaincre l'autre de la justesse du raisonnement qui l'infé-

7. Voir le livre de Paul-François Paoli, *Les impostures de l'égalité*, Max Milo Éditions, Paris, 2003.

riorise. Alors, le Noir acceptera d'être négatif (tout ce à quoi renvoie la couleur noire aussi bien en Afrique qu'en Occident) et l'autre positif (le blanc étalon de la beauté, de la richesse...)

Essentialisation, complaisance, compassion, stigmatisation, ghettoïsation ; ces nouvelles formes du racisme du quotidien sont appelées, elles aussi, à disparaître. Elles disparaîtront quand nous le voudrons, et moi, justement je le veux. Je veux être Français et Bourguignon noir, sans que l'on me renvoie éternellement à l'Afrique. Je veux être le seul qui décide de ce que je garde de mes racines et de ce que je transmettrai à mes enfants sans que l'Éducation Nationale ou le quidam du coin s'en mêlent. Je veux que ma fille née en France soit vue comme noire et francilienne, un point c'est tout. Je veux que l'on cesse d'acculer mon fils vers une blackitude suicidaire et qu'on le laisse être un petit Français comme les autres.

I - JE SUIS NOIR ET JE SUIS CIVILISÉ

Deux nègres se sont enfuis pendant l'hiver.
Ils tombent sur des traces bien visibles
dans la neige. L'un dit :
« Regarde les traces laissés par un cerf.
- Mais non, malheureux ! s'écrie l'autre. Ce
sont les traces des chevaux de nos pour-
suivants. »
C'est alors qu'un train les percute.

De ses origines, l'enfant noir né sur les bords de la Seine, commence à en être victime dès son plus jeune âge. Communément à l'école maternelle.

L'histoire contemporaine de l'Éducation Nationale française est émaillée de ces anecdotes, ou mieux de ces drames que l'on dit « faits divers », qui classent l'enfant noir dans une catégorie pathologique. Monsieur X est un jeune homme d'une belle couleur noire, du pur ébène. C'est peut-être par compensation qu'il a épousé une blanche à la peau d'un rose parfait, *Ebony and Ivory* en somme. Tous les deux sont sortis de l'enseignement supérieur, Sciences Po ! Madame est cadre de la fonction publique territoriale. Monsieur est directeur d'une maison de quartier ou de la culture, je ne sais plus bien. À l'époque des faits, il a déjà publié deux ou trois romans. Donc, un couple, intellectuellement parlant, comme il n'y en a pas des légions, peut-être 10 % de la population française, certainement moins.

Un jour, Monsieur X s'en va chercher son fils à la sortie de l'école. Le fils en question est un superbe métis de trois ans, beau comme seuls les métis savent l'être, qu'ils soient mongolo-cacasoïde, mélano-mongoloïde ou mélano-caucasoïde. Le petit est beau comme le sont les métis, quand ils choisissent ce qu'il y a de plus fin dans les deux races ; quand ils font l'addition des extrêmes dans les deux races et divisent la somme par deux. Et ça vous donne des lèvres ni minces comme des pelures de patates ni épaisses comme des pavés de rumsteck, des nez ni en lame de scie ni en patate aplatie, des oreilles calibrées, un teint de bronzé permanent. Non content d'être un futur bourreau des cœurs, le petit bonhomme fils de cadres, est aussi très intelligent, le plus intelligent de la maternelle qu'il vient de commencer en petite section. La maîtresse-directrice ne tarit pas d'éloges.

« Monsieur, votre fils est le plus intelligent de la classe et avec cela, quelle douceur ! Toutes ses petites camarades adorent jouer avec lui. »

Mais sous ce torrent d'éloges, perce une angoisse palpable. Monsieur X ne peut que la palper et il finit par en demander la cause à la dame.

« Oui Monsieur, j'ai parfois peur qu'il y ait un problème. Je me demande si votre fils n'est pas si doux parce qu'il est loin de son milieu naturel. »

Ainsi, un enfant, même à moitié noir, né sur les bords de la Seine, en région parisienne, parce qu'il est un peu bronzé, serait condamné à être rattaché à ses origines raciales, à rechercher de toute éternité les branches des arbres de son « milieu naturel » où ses ancêtres évoluaient et s'épouillaient comme des singes. Peu importe que sa mère soit une Blanche, que son père soit un intellectuel, il porte en lui une trace originelle indélébile qui le relie à jamais à la brousse de l'Afrique Équatoriale Française.

À côté du regard de l'enseignant sur l'élève, il y a celui de l'élève sur l'enseignant.

Quand ils ont grandi, les jeunes issus de l'immigration noire ont de l'institution scolaire une image tout simplement catastrophique, malheureux euphémisme pour décrire ce que ces enfants ressentent à tort – peut-être grossissent-ils certaines situations – et à raison, si l'on se réfère à l'état d'esprit qui anime des enseignants comme l'institutrice évoquée plus haut. Ces jeunes sont profondément et durablement, sinon irrémédiablement convaincus qu'on leur réserve un sort, des filières et des activités spécifiques. Et le plus farouchement convaincu de cette discrimination, ce n'est pas le petit raté *black* de banlieue qui en veut au monde entier, casse tout et se réfugie parfois derrière sa couleur pour justifier son échec tout à fait logique – un échec comme on en trouve aussi chez les Blancs, les Jaunes ou les Rouges –, et qui se réfugie derrière le racisme pour légitimer une banale rage d'adolescent. Le plus dur, le plus irréductiblement convaincu de la ségrégation en milieu scolaire, c'est ce jeune étudiant que je rencontrais tôt chaque matin, qui se battait pour s'en sortir, allait travailler aux aurores, à pieds à cinq kilomètres de son domicile avant le premier bus, avant le premier rayon de soleil ; s'en allait travailler comme préparateur de commandes parce que ses parents avaient peu de moyens, finançait ainsi ses études vaille que vaille et me disait : « Tonton je vais être ingénieur. » Et moi, parodiant Racine ou plutôt le roi Agamemnon, je lui répondais avec emphase : « Tu le seras mon fils, bientôt ! » Et lui ajoutait : « Je veux prouver aux Blancs qu'ils ne peuvent pas m'arrêter. » Et moi je reprenais : « Tu ne prouveras rien à personne ; tu ne feras pas de procès au monde. Réussis pour toi et non contre les autres. » Il me raconta un jour que quand il était à l'école, on réservait aux petits Noirs, le basket-ball et le football, et aux petits Blancs le tennis, l'équitation et les visites de musées.

27

Que ce garçon exagère ou dise la stricte vérité, cela reste grave dans les deux cas. S'il dit la vérité, cela se passe de commentaire. Mais on peut aussi penser que l'orientation vers telle ou telle activité était motivée moins par des considérations raciales que financières, les petits Noirs n'ayant pas (ou étant perçus comme n'ayant pas) les moyens de financer les équipements et les cours d'équitation et de tennis. Si le jeune Noir exagère, c'est que l'on n'a pas réussi à lui faire comprendre que la discrimination était économique et non raciale; ou que l'on n'a pas pu ou voulu éliminer du système scolaire ce genre de discrimination et donner à tous les enfants les mêmes chances; ou que l'on a cru que les Noirs appartenaient systématiquement à la catégorie financièrement démunie et que l'on ne prenait même plus la peine de leur proposer certaines activités.

S'il invente complètement cette anecdote – ce dont je doute très sincèrement –, c'est que d'autres éléments sociaux, des faits qu'il aura vécus ou observés, extérieurs à l'institution scolaire, ont influencé sa vision de sa société et ont incrusté dans sa tête, la conviction de la ségrégation raciale dans tous les secteurs de cette société.

On accule tellement le Noir à être une espèce uniforme que j'ai parfois une désagréable impression: on aimerait réserver à tous les Noirs le sort de Saartjie Baartman, la Vénus hottentote exhibée dans les foires de Londres et de Paris au début du XIXe siècle.

La France a d'ailleurs eu un comportement inimaginable pour le pays des Droits de l'homme, à l'égard de cette pauvre fille importée d'Afrique du Sud. Alors que l'Angleterre avait condamné le traitement infligé à Saartjie, les scientifiques français l'ont disséquée à sa mort comme un vulgaire cobaye et l'ont enfermée en pièces détachées dans des bocaux. En 2001, en réponse au gouvernement de la République Sud-Africaine qui les réclamait, le secrétaire d'État français au Patrimoine, homme de gauche, partisan des forces du progrès, le sieur Duffour, soutint mordicus que les restes de Baartman faisaient partie des collections nationales, lesquelles, selon la loi française, sont inaliénables. La vulve, l'anus et le cerveau d'une Sud-Africaine sont élevés (ou abaissés) au rang de collections nationales de France! Quand l'article 16-1 du code civil français précise que « le corps humain, ses éléments et ses produits ne peuvent faire l'objet d'un droit patrimonial ». Le Noir doit être une espèce bien curieuse.

La France de tout temps a pensé qu'il était bon de conserver le Noir dans une sorte de réserve anthropologique où elle viendrait observer les développements de l'humanité civilisée à travers la stagnation du Noir, éternel primitif. Les Noirs ne pouvant évoluer qu'en meute de façon intuitive et grégaire.

Que l'on me demande mes origines par pure et simple curiosité humaine, je suis prêt à l'entendre. Mais si c'est pour gommer ma culture urbaine et judéo-chrétienne et me coller à un vague modèle ruro-traditionalo-noir qui n'existe pas, alors, je ne saurais l'accepter!

Quel est le son de cloche des enseignants sur les origines des élèves? Les professeurs, comme la majorité des acteurs, s'entêtent à penser que les enfants issus de l'immigration ont leurs racines dans une lointaine Afrique que même beaucoup de parents – comme moi – n'ont jamais connue. En faisant son école en région parisienne, ma fille a dû entendre parler du griot davantage que moi qui ai vécu plus de vingt ans dans ma ville d'origine. Le griot, personnage populaire de l'Afrique de l'Ouest, n'existe pas dans la ville de mon enfance. Ma fille a aussi vu plus de griots que moi, puisque je n'en ai jamais vu en Afrique. Aussi simple que cela. Pour moi, les griots ont le même exotisme que les porteurs de kilt écossais ou les joueurs de clochettes belges ou britanniques en ont pour mon voisin de palier d'origine savoyarde.

Alors, selon le principe que les Noirs ne doivent pas perdre leurs origines, à l'école, on a présenté à la classe de ma fille un jeune comédien originaire de Douala, Kinshasa ou Brazzaville – villes dans lesquelles il n'y a pas plus de griot

29

que d'Inuit dans le Périgord. Ce jeune artiste tout droit sorti de *La Bohème* d'Aznavour, méconnu et famélique qui, pour survivre, s'est inventé une ascendance griottique, passe dans ces écoles en quête d'exotisme au rabais, gratte avec frénésie une prétendue kora, en poussant deux ou trois cris de sauvage pour raconter une épopée bambara, mandingue ou baoulé, parfois née directement de son imagination.

Et on parle à ma fille de griot, et on lui en présente ce succédané, parce que le griot ferait partie de *ses racines afri-caines*, et ce faisant, on invente à *ma* fille, des racines qui ne sont ni les miennes, ni celles de sa mère. Alors, je me demande qui est en droit de parler des racines aux enfants. Les parents ou bien les professeurs qui se tromperont neuf fois sur dix parce qu'ils ont, dans leur classe, vingt-cinq nationalités différentes et que personne ne peut leur demander d'être des ethnologues hors pair?

Faisons bien attention à ces initiatives hasardeuses. Nous n'avons pas encore eu à déplorer de grands drames à ce sujet, du moins je l'espère. Mais cela pourrait arriver.

Imaginons qu'un jour, un professeur se mette en tête de transmettre la *culture africaine* à ses élèves et que le seul élément culturel à sa portée soit d'origine hutu. Imaginons encore que, dans cette classe, il se trouve un innocent enfant d'origine tutsi né en France, donc ignorant tout des drames africano-rwandais qui hanteront à jamais le sommeil de son père, lequel essaye vainement de s'en débarrasser en s'adonnant à la boisson. Après l'intermède scolaire afro-hutu de son enseignant bourré de bonnes intentions, le gamin rentre à la maison et entonne innocemment une berceuse ou une mélopée hutu, peuple à jamais haï des Tutsi. Le père, qui est dans un de ces soirs où il a forcé sur la bouteille, devient fou furieux, a des hallucinations. Reviennent alors en sa mémoire perturbée, l'incendie de la maison, le massacre de sa famille et la cause de son exil. Dont le responsable est le peuple hutu! Il n'est plus capable de discernement, et dans son délire, son fils devient l'ennemi de toujours. Il fonce sur lui avec le premier couteau de cuisine à sa portée, lui tranche la gorge et lui transperce le cœur. Qui sera responsable de ce drame ? L'ignorance bien sûr ! Et accessoirement, l'excès de zèle.

C'est comme si, au lendemain de la Seconde Guerre mondiale, un parent juif s'était retiré en Éthiopie pour essayer d'oublier le massacre de sa famille par les nazis. Il inscrit ses enfants à l'école du coin, et un soir, un de ses enfants rentre, le ramage plein de mélodies à la gloire du Reich. En effet, son maître indigène aura voulu lui transmettre un élément de sa culture européenne, pour l'aider à ne pas oublier ses origines. La seule référence qu'il a sur la culture européenne et une langue qu'il ne connaît pas, se trouve être malencontreusement une chanson SS.

Le plus grave est que, même partant de bonnes intentions, ces tentatives sont pernicieuses. Elles rappellent au Noir sa position d'immuable subalterne à qui l'on réserve un sort spécial : le rattachement éternel à une origine qui n'a généralement aucun impact objectif sur sa vie, surtout s'il est né et vit en région parisienne ou à Oslo. Je voudrais que l'on me dise si l'on a tanné le cerveau du petit Sarkozy, du petit Devedjian ou d'un petit Gomez avec les histoires de Hongrie, d'Arménie ou du Portugal. L'insistance sur une culture devient donc un indicateur infaillible selon lequel ceux qui sont originaires de cet espace culturel sont jugés inférieurs. Sinon cette culture passerait du folklorique à la propriété nationale ou universelle.

Combien de mélomanes du dimanche connaissent la nationalité de Mozart, de Mendelssohn ou de Beethoven ? Combien se soucient que Manu Dibango, Richard Bona ou Lokua Kanza soient congolais, camerounais ou de La Nouvelle-Orléans ? Leur musique jazzy n'est pas camerounaise (comme le folklorique *bassa*), ni congolaise (comme le trépident *dombolo*). Elle est belle, apatride et universelle, un point c'est tout. Pourquoi les enfermerait-on à ne jouer que des rythmes dits afro ? Mais qui ignore que la polygamie et les djellabas sont exotiques ? Ainsi, quand un élément culturel cesse d'être exotique pour devenir univer-

31

sel, souvent, il s'agit du passage de l'infériorisation et de la curiosité, à la normalité.

Un jour, un professeur m'exprima son étonnement. Elle avait amené sa classe visiter un musée où l'on exposait des ustensiles et autres objets des traditions du monde. Comme elle avait plusieurs enfants d'origine africaine dans sa classe, elle avait cru bon de demander au conservateur de sélectionner les objets des traditions africaines. À son grand étonnement, les enfants noirs avaient détourné leurs yeux de cette collection.

En fait, la première remarque, c'est que ces objets n'appartiennent pas à la culture de ces enfants nés et élevés en région parisienne. Même quand ils vont en vacances au pays d'origine de leurs parents, ces objets ne font plus partie du quotidien. Ils sont dans le registre du primitif et je ne pense pas que des adolescents d'une dizaine d'années, blancs ou noirs, de Douala ou de Bordeaux, soient attirés par cette période aujourd'hui surannée. Peut-être ont-ils aperçu ces objets un jour dans l'arrière-pays. Peut-être les trouve-t-on encore dans certaines zones reculées, dans certains cultures. Mais de là à les imposer à tous les petits Noirs comme des vestiges de leur civilisation, il y a un gouffre à ne pas franchir. Les professeurs s'y sont de tout temps essayés.

Mais ceci seul ne justifie pas le désintérêt des élèves, car si ces objets n'ont plus vraiment un usage courant, ils font bien partie d'un patrimoine culturel qui, néanmoins, ne saurait faire la fierté de ces enfants. Pas plus que le continent qu'ils sont sensés représenter.

Chaque fois qu'ils entendent parler de l'Afrique, c'est toujours d'une manière ou d'une autre, à propos de catastrophes. Ce sont les pandémies, la faim, les guerres, les coups d'État. Parfois, ce continent supposé les attirer et leur être cher, est présenté par les parents comme un lieu de punition : « Si tu n'es pas sage, je t'envoie en Afrique. » C'est comme si, dans mon enfance, je n'avais rien demandé d'autres que d'aller en enfer, ce même enfer dont le prêtre, le catéchiste et mes parents me menaçaient si je mentais.

Quand on les amène dans un musée, espace culturel par excellence, ils sont tout à fait en droit d'attendre quelque chose de valorisant. Et que leur montre-t-on ? Des calebasses rafistolées et des tam-tams crevés qui pourraient faire le bonheur des anthropologues mais nullement celui de gamins de leur âge, de quelque origine qu'ils soient. De plus, ils sont les seuls à mériter ce traitement, puisque, généralement, personne ne fait ce genre de blague, de tri sélectif à l'intention exclusive des enfants originaires d'autres continents. Je suis sûr qu'aux petits Sud-Américains, on présente les fastes du Temple du Soleil.

J'ai dit au professeur d'essayer autre chose : une exposition reprenant les merveilles du monde qu'elle attribuerait à leurs créateurs ou à leur continent d'origine. Les vestiges de l'université de Tombouctou côtoieraient alors le Tâj Mahal, la tour Eiffel, le tombeau de l'Askia Mohamed à Gao, les pyramides inca, les pyramides d'Égypte et la statue de la Liberté. Pour pimenter l'expérience, elle dirait aussi que, selon certains savants, les pharaons bâtisseurs de pyramides, étaient de couleur noire, mais qu'il y a débats à ce sujet.

Le professeur a monté cette exposition. Elle me rapporta plus tard que les élèves noirs étaient tout simplement déchaînés, survoltés et que les petits Maghrébins, revendiquant aussi les pyramides d'Égypte parce que basées sur une terre majoritairement musulmane, n'ont jamais réussi à les reprendre aux Noirs qui y tenaient désormais comme à la prunelle de leurs yeux. Un petit Noir déclara d'ailleurs que, désormais, quand il passait près de l'obélisque de la Concorde, il était fier de son continent d'origine. Et Cheik Anta Diop est devenu le Moïse de ces enfants qu'il a délivrés de la honte d'appartenir à un peuple qui n'avait soi-disant rien apporté à l'humanité[8].

Le sommet de l'aberration, le nec plus ultra de l'action produisant des résultats diamétralement opposés à ce que

---

8. Dans son livre *Nations nègres et cultures*, l'auteur démontre que les pyramides et la civilisation égyptienne ont été œuvre de la race noire.

l'on attend, ce sont certainement les voyages organisés par les maisons de quartier (MQ) et les mairies pour ramener les enfants à leurs racines africaines ou faire connaître celles-ci à des petits Français blancs-blancs ou blancs-maghrébins. Alors, un beau jour, on vous prend cinq petits Noirs, on dira un d'origine sénégalaise, deux d'origine malienne, un d'origine zaïroise, et un d'origine antillaise. On y ajoute deux petits d'origine maghrébine et trois Blancs français.

Votre mission, si vous l'acceptez jeunes gens, leur dit-on en substance, est d'aller construire une maison de quartier ou des salles de classes à 500 pauvres petits Maliens. Vous allez reprendre le flambeau civilisateur de votre mère patrie et sortir les petits Noirs de la misère morale, matérielle et intellectuelle. Si l'un de vous était en danger à cause des bestioles tropicales, d'une indigestion de *tiebdien*, ce plat typique sénégalais, de gingembre, ou pour une tout autre raison, refluez tous en rangs serrés vers le consulat de France le plus proche où une logistique adaptée se chargera de vous rapatrier vers le monde civilisé.

Mission impossible! Certes, pour 500 petits Maliens qui n'ont pas pu reconstruire le mur effondré de leur MQ ou le toit crevé de leur école. Mission impossible pour la négraille en 500 exemplaires, mais pas pour dix petits tartarins-banlieusards de la région parisienne. Alors, tisonnant leur bravoure et bardés d'élan missionnaire, sinon messianique, nos petits héros s'en vont sauver les petits Maliens. Ils arrivent dans leurs chaussures Nike dernier cri, leurs survêtements de grandes marques, leur accent français. Des grappes de marmots les suivent à longueur de journées, rêvant du pays qui a vu naître et qui héberge de tels héros, et se jurant qu'un jour, ils deviendront comme eux. Tout le monde tombe en pâmoison dès qu'ils touchent un seau pour puiser l'eau du puits ou une pelle pour remuer le mortier.

Deux ou trois semaines plus tard, tout ce petit monde rentre en France avec des pellicules de photos et des cassettes vidéo qu'ils montreront un soir à la MQ, en présence du directeur des lieux, écolo post-soixante-huitard, en présence de l'élu chargé de la coopération ou de la jeunesse, en présence de quelques Blancs toujours les mêmes, mordus de vie associative et de lien social, militant pour l'Afrique, la Palestine ou une quelconque guérilla d'Amérique latine, les peuples opprimés, en somme. Les enfants parleront de l'Afrique qui est très accueillante, de la misère qui y est palpable, du boulot de titan qu'ils ont exécuté, de tout le monde qui les aimait, des pauvres gens qui attendent tellement qu'on les aide, de tel enfant qui... de telle femme que... *Nihil novi sub sole*, en somme! Rien que du très classique colonial. Les petits Noirs de la délégation se sentiront investis d'une mission messianique et vous jureront tout le mois suivant leur retour, mais pas au-delà, qu'ils vont tout faire pour retourner là-bas *aider l'Afrique*.

Leurs racines? Tiens, oui à propos des racines qu'ils sont allé chercher, où sont-elles passées? Personne ne leur posera la moindre question. En fin de compte, dix jeunes *Européens* seront repartis perpétrer le mythe selon lequel l'Afrique ne peut rien faire seule sans l'aide de l'Occident. Que 500 élèves d'une école africaine ont besoin de dix banlieusards français pour élever le mur écroulé de leur MQ ou réparer le toit effondré de leur école.

Et cerise sur le gâteau, un petit Blanc rentrera le cœur chavirant d'amour pour une beauté locale qu'il retournera épouser s'il se nomme Michel et qu'elle, c'est Cathy. Et ils sont adorables!

35

II- JE SUIS NOIR ET JE SUIS ASSIMILÉ

Un enfant noir s'agenouille dans une église et demande à Dieu pourquoi il l'a doté de caractéristiques aussi spécifiques : nez épaté, membres interminables, peau noire, cheveux crépus. Le Seigneur lui répond que c'est pour qu'il soit adapté à l'ardeur de la vie dans la forêt africaine, sous le soleil et la menace permanente des bêtes féroces.

« Alors, Seigneur, pourquoi tu m'as fait naître à Montreuil ? »

J'ai été convié à un débat dans une commune de la banlieue parisienne sur le thème de l'intégration ou mieux, des ratés de l'intégration. J'animais ce débat avec un homme politique de premier plan, ancien membre du gouvernement, député, maire et beaucoup d'autres distinctions encore. Invité à prendre la parole, j'ai présenté l'évolution des courants migratoires africains. J'ai fustigé les choix inconscients faits par les instances gouvernementales de l'époque.

Au lendemain de la Seconde Guerre mondiale, la France, comme la majorité des pays européens, se trouve devant la nécessité de moderniser l'outil de production vieillissant. Le gouvernement juge alors que le pays n'a pas les moyens de se lancer dans un chamboulement aussi coûteux et qu'il gagnera à recourir à l'importation de la main-d'œuvre des anciennes colonies et des Antilles. On connaît les suites sociales et humaines catastrophiques de cette expérimentation hasardeuse et profondément discriminatoire, sinon raciste.

À propos de l'immigration de main-d'œuvre, certains détours de l'Histoire qui devraient faire réfléchir. La succession des modes de servitudes auxquelles le Noir a été soumis depuis la Traite, ne saurait être l'œuvre du hasard. Il est particulièrement troublant de constater que la colonisation a commencé en Afrique à peine une dizaine d'années après l'abolition réelle de la Traite des Nègres[9].

Pour beaucoup d'observateurs et aux dires mêmes des négriers, l'abolition de l'esclavage n'est pas due à des raisons humanitaires. Elle est due à une banale logique économique selon laquelle la traite coûte désormais trop chère par rapport aux bénéfices que l'on en tire.

Et la colonisation commence.

Quelques années plus tard, les pays africains montent au créneau pour demander leurs indépendances et finissent par obtenir gain de cause. Sciemment ou inconsciemment,

---

9. « Les anciens comptoirs du bas Sénégal, d'autres plus récents [...] sur la côte de Guinée et plus au sud, au Gabon, ont été, à partir de 1856, et surtout de 1879, le point de départ de la domination Française à l'intérieur de l'Afrique », *Dictionnaire encyclopédique Quillet*; Éditions Quillet, Paris, 1990. Concernant l'abolition de la Traite, elle a été prononcée par les Anglais en 1807, les États-Unis promulguant en 1808, des lois interdisant le commerce des Noirs, les Français enchaînant le 4 mars 1848. Cependant, des filières se mirent en place, semblables à celles de la drogue aujourd'hui. Entre 1808 et 1867, 7 750 navires transportèrent 2 millions d'esclaves noirs. « Les dernières phases de l'action officielle contre l'esclavage se dérouleront sur la scène internationale à la conférence de Bruxelles de 1890 », *Encyclopedia Universalis*, Paris, 1996, n° 8, p. 682.

les atavismes esclavagistes sont remontés en surface et quelques sieurs blancs ont dû se dire : « *Puisque nous ne pouvons plus les faire travailler chez eux dans les mêmes conditions serviles, attirons les plus vulnérables chez nous pour qu'ils exécutent le sale boulot.* » Je parierais que c'est le genre de raisonnement qui a poussé certains responsables de l'époque à préconiser l'immigration de main-d'œuvre subalterne, au détriment de la modernisation de l'outil de travail.

Au cours de notre débat, j'ai affirmé que l'échec de l'intégration des immigrés venait du fait que l'on avait choisi les personnes les plus inadaptées à la vie en zone urbaine occidentale, puisqu'elles venaient du monde rural et étaient analphabètes. En plus, rien n'avait été fait pour les aider à s'adapter à leur nouvel environnement puisqu'on les avait parqués dans des foyers sordides, construits expressément pour eux.

C'est alors que l'homme politique a pris la parole pour nous expliquer pourquoi les Noirs n'avaient pas été invités par la France à s'intégrer. Ces immigrés subalternes n'auraient pas été assimilés à la demande expresse des chefs d'État de leurs pays d'origine. Selon notre homme politique, ces chefs d'État, dans une unanimité aussi inconcevable que parfaite, auraient prié les autorités françaises de ne point modifier les comportements de leurs ressortissants parce qu'ils étaient l'espoir de leurs pays, lesquels comptaient sur eux pour rentrer et participer à leur construction.

Ainsi, même quand il a choisi de vivre à l'étranger, le Noir est rattrapé par ses racines et le grand chef du village continue à influencer son comportement et à influer sur le groupe exilé. Et le plus inadmissible est que la France aurait accepté que l'on dépouille ses immigrés de leur liberté de choix, pour les assujettir à la dictature des origines.

Au fur et à mesure que l'homme livrait sa docte pensée, les têtes de l'auditoire blanc se secouaient d'approbation, rassurées. Je croyais rêver. Encore une fois, c'était à cause des Noirs, à cause de leurs chefs d'État, que la France devait affronter aujourd'hui, les dysfonctionnements causés par la non-intégration des immigrés. Et dire qu'ils avaient craint un instant que le patronat et le gouvernement français fussent responsables du retard social des immigrés et autres carences observées chez les migrants.

Quand les têtes finirent de se hocher de satisfaction et que les murmures d'assentiment et de surprise pour cette immense révélation se furent calmés, je pris la parole. Je dis au grand camarade et petit historien, que j'étais très heureux pour notre auditoire auquel il venait de livrer une découverte magistrale dédouanant totalement la France de l'échec de l'intégration. Je lui avouai que j'aurais bien voulu qu'il trouvât une raison aussi pertinente pour expliquer pourquoi diable les Blancs avaient choisi, pour l'immigration, les Noirs et les Maghrébins les plus difficiles à intégrer ? Était-ce encore une fantaisie, une exigence loufoque des chefs d'États africains ?

Nous savons tous le mépris des dirigeants français pour les présidents africains. On sait comment Giscard traitait Bokassa. On se souvient encore du camouflet infligé à un président élu démocratiquement en Côte d'Ivoire, quand la France leur a imposé des rebelles sans projet et sans envergure, de petits aventuriers criminels en somme, comme ministre de l'Intérieur et ministre des Forces armées.

Il reste difficile de croire que ces présidents africains aient pu refuser l'intégration des immigrés, alors que leur non-intégration risquait de défigurer durablement le paysage social français.

Dans tous les pays du monde, l'étranger que *l'on respecte* est informé *individuellement* des règles locales et est invité à s'y conformer. Quand on l'enferme dans des espèces de foyers kraals d'où il ne sort que pour aller travailler, je pense qu'on l'assimile plus à une bête de somme qu'à un être humain. Et tout comme dans certains parcs animaliers d'avant-garde où on essaye de préserver l'instinct sauvage des animaux, on a tout fait pour conserver dans leur ruralité et leur analphabétisme, ces braves bras importés en France pour nettoyer les caniveaux des grandes villes.

Tout simplement parce qu'on ne les a pas considérés comme des individus libres, mais comme un troupeau que son origine prédispose à l'infériorité.

J'ai poursuivi le débat avec des accents assez caustiques. « Le respect que tu portes au continent africain, camarade, me sidère. Des ouvriers spécialisés qui sont venus laver les trottoirs de la France, c'est ce que les États africains attendraient pour se développer ? » Je lui ai demandé si les chefs des États maghrébins avaient formulé la même requête pour leurs ressortissants, puisque les Maghrébins n'étaient pas plus intégrés que les Noirs. Enfin, je me suis inquiété du sort des Harkis.

Ceux-là n'avaient plus de chef d'État autre que le chef d'État français. Ils ont choisi la France contre leur propre pays. Ils ont été contraints de rejoindre cette France après la guerre d'Algérie pour échapper au massacre de Charybde. La France s'est ouverte à eux comme le gouffre Scylla. Qui donc, en ce qui les concerne, a fait la demande qu'on ne les aide pas à s'intégrer ? Qui a demandé que la France, leur unique pays, les parque pendant des décennies dans les sinistres et insalubres taudis de Bidonville-hors-les-murs, comme s'ils avaient été lépreux, pestiférés ?

La République a pour mission d'intégrer tous les migrants dans l'unité nationale. Tout homme est libre de conserver ses particularités qui ne nuisent pas à l'ordre public. La liberté est encore plus grande dans l'espace privé. On peut pratiquer son culte, manger la nourriture de son choix, épouser la femme ou l'homme qui veut de vous. La République a pour mission d'intégrer les étrangers, mais pas les Noirs. Ceux-ci doivent conserver sagement leur originelle « sauvagerie ».

À la fin des migrations officielles de main-d'œuvre en 1974, on s'est mis à enseigner les langues des pays d'origine dans les maisons de quartier et les maisons de la culture. Ainsi, les petits Noirs apprenaient le bambara, le soninké et autres langues africaines parce qu'ils devaient conserver leur culture pour le jour où ils rentreraient dans les pays d'origine. Si on avait mis la même ardeur à enseigner le français aux parents pour qu'ils puissent au moins communiquer avec les enseignants de leurs enfants, nous aurions évité une bonne partie des problèmes que nous affrontons aujourd'hui.

Toutes les migrations sont appelées à se sédentariser. Il n'existe pas dans l'histoire de l'humanité, un courant migratoire qui ne se soit pas sédentarisé. Après une période de flottement, de rêve du retour, les réalités de l'adaptation au nouvel espace de vie l'emportent sur l'image du pays natal. Mais la France était intimement convaincue que cette vérité historique et sociologique ne s'appliquerait pas à ceux dont la seule valeur qu'on leur reconnaisse est leur force manuelle de travail.

Aujourd'hui, l'acharnement des professeurs à introduire la *culture africaine* à l'école, pour que ces enfants ne perdent pas leurs racines et pour qu'ils restent arrimés à leurs origines, est quasi pathologique.

D'abord, permettez-moi de vous dire qu'il n'existe pas de culture africaine. La similitude entre un cadre de Douala, de Bamako ou de Dakar, diplômé, urbain, et un agriculteur du Sahel ou de la forêt équatoriale, analphabète, rural, est la même que celle qui existe entre un cadre suédois ou un *golden boy* de Manhattan ou de la City et un agriculteur moustachu du sud de la Turquie, un pêcheur de la Tchétchénie ou un Gitan de Bulgarie.

La culture est un élément social et non ethnique même si l'ethnie sert souvent d'espace social d'enracinement à un modèle culturel. Ce cas de figure se retrouve notamment et presque exclusivement en milieu traditionnel rural. Dans tous les cas, la culture reste un élément spatial et temporel. C'est la capacité de s'adapter à son milieu et à son temps. Moi, le Francilien, ce qui me relie culturellement à mon cousin qui n'est jamais parti du village d'origine de mes parents (espaces décalés), ou à celui qui vivait dans ce même village il y a un siècle (temps décalés), est certainement plus mince que ce qui me lie à un Blanc de la région parisienne (espace commun) aujourd'hui (temps commun), ayant les mêmes caractéristiques sociologiques que moi.

Une amie trouvait que j'étais trop classe moyenne française dans mon style vestimentaire, dans mon discours et dans mes préoccupations. Elle craignait de me le dire, de peur de me vexer parce que j'aurais voulu être Africain toujours et partout. Elle a fini par lâcher le morceau. J'ai pris cela pour un beau compliment, le signe de mon intégration réussie, et le lui ai fait savoir. Je ne m'imagine pas être autre chose, en vivant sur les bords de la Seine. Mes origines reposent sagement dans mon patrimoine; mon quotidien, c'est la culture au sein de laquelle je vis.

Si deux frères originaires de Bobo-Dioulasso sont séparés à leur naissance et placés, l'un dans une famille papoue de Nouvelle-Guinée et l'autre à la cour royale d'Angleterre, pensez-vous que le sang aura assez de force pour faire en sorte qu'ils soient les produits de leur ethnie burkinabé d'origine et non ceux du milieu social au sein duquel ils auront été élevés? Pensez-vous que l'un et l'autre auront le rythme dans le sang? Pensez-vous qu'ils connaîtront mieux le folklore de leur pays natal que celui de leur lointain exil? Pensez-vous qu'ils parleront le burkinabé qu'ils auraient dans le sang (origine) et non le papou pour l'un et l'anglais pour l'autre, langues qu'ils auront acquises (culture)?

Le problème réside dans le fait que tout le monde confond allègrement culture et valeur. La culture c'est l'adaptabilité à un milieu et à un moment. C'est la capacité à utiliser les outils (production), les langages (communication), les comportements (vie sociale) locaux pour vivre. La culture c'est *hic et nunc*, ici et maintenant Elle est donc intimement liée aux notions d'espace et de temps. La culture bretonne en 2003, n'est pas la culture bretonne du temps des druides. En 2003, la culture sahélienne – terre de soleil et de sécheresse – n'est pas la culture sibérienne – pays de neige et de froid. Et si un habitant du Sahel s'installe en Sibérie, il doit adopter les codes essentiels à la vie en Sibérie. C'est une simple question de bon sens, de survie. Le vêtement est bien un élément culturel. Si on écoute les tenants d'une culture itinérante, entièrement exportable, que l'on

43

devrait transporter avec soi comme un viatique inaliénable, comme les pénates, comme les mânes des ancêtres, le Sahélien continuerait à s'habiller au mois de janvier en Sibérie comme il s'habille au cercle de Yélimane à Nyoro. La nature qui ne triche pas le ramènerait immédiatement à la raison. Le respect des règles locales est une simple question de survie.

Les valeurs sont quant à elles, plus universelles. Celles que l'on attribue le plus à l'Africain sont le respect, la solidarité. Ces valeurs sont reconnues par la totalité du genre humain, du moins je l'espère. *Seulement, leur traduction en éléments culturels n'est pas la même partout.* Ainsi, dans de nombreux pays africains, par respect pour son âge, on ne regarde pas un adulte dans les yeux. En France, quand quelqu'un vous parle, par respect, vous le regardez dans les yeux, qu'il soit votre aïeul ou votre petit-fils. Je me suis laissé dire que quelque part dans le monde (en l'occurrence au Sri Lanka), il existe un peuple qui dit oui en secouant la tête de gauche à droite. Imaginez un membre de ce pays persistant à utiliser cet outil culturel en France ! « Monsieur, êtes-vous innocent du viol de Miss Dupont et de l'assassinat de son père ? » L'iconoclaste secoue la tête de gauche à droite. « Brigadier, il a avoué. » Menottes et Fleury assurés.

La tradition est quant à elle, le mode d'ancrage, d'adaptation à son environnement. Ainsi, les Bretons sont pêcheurs parce qu'ils vivent en bordure de mer et veulent établir une certaine harmonie avec leur environnement marin, alors que les Auvergnats ont une tradition d'agriculteurs parce qu'ils vivent à l'intérieur des terres. Le contraire aurait entraîné trop de complications, et la France aurait senti le poisson pourri et la potée rance.

Les plus belles perles qu'il m'ait été donné de lire sur cette confusion entre valeur et culture, viennent d'une étude que des anthropologues[10] ont réalisée sur la population

10. Ghislaine de Montal et Herimampionona Rajaonarison, *Être Malien au SAN d'Évry*, Étude interface migrant, Paris, février 1992, p. 23.

soninké de la ville nouvelle d'Évry. Quand je pense qu'ils ont été payés pour cela, j'ai envie d'aller chez Jean-Pierre Pernaud pour dénoncer ce gaspillage outrancier des deniers publics. On peut lire dans ce rapport que « la transmission de la culture est un principe vital pour l'épanouissement des enfants ». Qui en douterait ?

Mais ici, il s'agit et vous l'aurez compris, de la culture rurale sahélienne soninké que les parents soninké doivent transmettre à leurs enfants français nés à Évry, en région parisienne, en ville, en France, sous peine de voir ces enfants mourir d'inanition culturelle, parce que cette culture leur serait vitale. Et l'étude poursuit de plus belle. « La culture, c'est le placenta qui permet d'avoir une palette d'*outils*, de *langages*, de *comportements*, de *pensées*[11]. » La confusion s'installe, gigantesque.

Évidemment, la culture, ce sont des outils au sens figuré comme au sens propre. Mais les outils du soninké père rural, ne sont pas ceux du Francilien fils urbain scolarisé. Pour le premier, les outils de son milieu d'origine, ce sont les instruments des champs comme la houe ou la faucille. En France, pour s'adapter, papa a troqué cet attirail contre le balai de l'éboueur, parce que, intellectuellement, il ne pouvait pas prétendre à autre chose. Pour son fils qui va à l'école, les outils sont le cahier et le stylo. Pour les deux, la valeur, c'est le travail. Si le laboureur de la Fontaine devait aujourd'hui apprendre la nécessité du travail à ses enfants installés à Paris, il ne leur demanderait pas de bêcher dans les champs, sauf à les envoyer sur les Champs-Élysées ou sur le Champ de Mars. Mais attention aux dégâts et aux contraventions !

Évidemment, la culture, ce sont des langages qui, en plus d'être spatio-temporels, sont générationnels. Les langages, même gestuels, ne sont pas identiques dans le monde entier. Ceux des adultes ne sont pas ceux de leurs enfants. La langue première des enfants nés en France, quelle que soit

11. *Ibid*, p. 23.

l'origine de leurs parents, est le français auquel ils s'adaptent toujours très rapidement *et avec l'accent local,* non avec celui des parents, quand ceux-ci parlent français. Elle est donc différente de la langue maternelle parentale, laquelle pourra être un enrichissement et non un outil indispensable à leur adaptation et à leur évolution dans leur espace de vie francilien.

Évidemment, la culture, ce sont des comportements, des modes de pensées. Mais là aussi, une fois la valeur établie, ces données doivent s'adapter au milieu de vie, comme nous l'avons vu pour la valeur respect et les différences de manifestation par rapport au regard, selon que l'on se trouve à Kayes ou à Évry.

Mais tout cela, c'est roupie de sansonnet à côté de ce qui vous attend. Sous forme d'avertissement, les auteurs nous disent : « Une intégration réussie ne semble pas avoir pour premier précepte la monogamie[12]. » N'oubliez pas que nous sommes toujours en région parisienne, au sixième étage d'un immeuble de logement social et dans un appartement de quatre ou cinq pièces, pouvant accueillir décemment une famille de six personnes, tout au plus !

C'est avec des inepties pareilles que nous nous sommes retrouvés avec plus de ménages polygames dans certaines cités de la région parisienne qu'à Bamako ou à Kayes. Parce que l'on s'est mis à triturer et à disséquer les origines des immigrés, au lieu de les informer sur les modèles locaux. Car, aujourd'hui, la polygamie urbaine est surtout un signe extérieur de richesse. Ainsi, les travailleurs immigrés dont les revenus sont bien supérieurs à ceux de leurs frères de Bamako ou de Dakar, peuvent s'autoriser une polygamie à laquelle ils se seraient contentés de rêver dans leur pays natal.

Dans la société d'origine des immigrés, la polygamie s'accompagne toujours d'un nombre important d'enfants. La contraception, même aujourd'hui, et *a fortiori* il y a une

---

12. *Ibid,* p. 22.

douzaine d'années, est très peu pratiquée. Les coépouses se livrent une rude compétition : à qui aura le plus d'enfants. Mais nos auteurs n'en ont cure, du malaise des petits Français issus de ménages polygamiques, ces enfants dont aucun n'a jamais été fier de la polygamie de son père ; dont chacun n'avoue que l'existence de sa mère ; dont les oreilles bourdonnent des débats marginalisant sur la polygamie ; dont la promiscuité dans une maisonnée de douze enfants et davantage, est assommante.

Mais ce n'est encore rien. « Au risque de choquer, on pourrait parler de la polygamie comme facteur sinon d'intégration au moins de mieux vivre en France[13]. »

Madame et Monsieur les auteurs, rassurez-vous, vous ne choquez pas. Pourquoi choqueriez-vous ? À ce point de légèreté d'analyse, ce n'est plus de la mauvaise foi d'intello en mal de sensationnel, c'est de l'inconscience et du racisme. Et l'on se dit que la liberté d'expression permet bien des dérives imbéciles qui se terrent derrière des prétentions intellectuelles. Que la liberté d'expression ne devrait pas tout autoriser ; qu'en 1992, les propos de nos apprentis sorciers sont plus proches de l'irresponsabilité que de la sentence intellectuelle.

Nos doctes penseurs ne savent pas qu'après quelques années en France, les premières épouses sont quasi unanimes pour condamner la polygamie ; que beaucoup de deuxièmes épouses qui ont suivi des maris pour de multiples raisons, dont l'une des principales est l'attrait de la France, se réfugient derrière leurs parents qu'elles accusent de les avoir forcées à se marier avec un polygame. Elles ont honte de ce qu'elles ont fait et de ce qu'elles sont devenues, des bêtes curieuses dans un pays à régime matrimonial exclusivement monogamique.

Nos doctes penseurs n'ont pas connu les vraies histoires de la polygamie en région parisienne ! Comme cette femme qui, chaque fois que le mari commun devait honorer

13. *Ibid*, p 35.

la couche de sa coépouse, se mourait de jalousie et a fini par acheter un dictaphone qu'elle cachait sous le lit de sa rivale pour savoir si les ébats de l'autre côté de la cloison étaient plus amoureux que quand c'était son tour.

Les descriptions que les auteurs feront de ces gens tout au long de leur texte conduisent à penser à un fourmillement de bêtes plutôt qu'à un groupe de personnes.

« Dans les familles les plus traditionnelles, habitant en appartement, la porte palière reste ouverte à un ballet coloré, incessant, de femmes et d'enfants en bas âge[14]. » La description fait penser à celle d'un ornithologue parlant de l'envol des flamants roses le soir sur une mare du Serengeti, le parc national de Tanzanie ; à la description d'un animalier décrivant la débandade d'un troupeau de gnous dans les mêmes sauvages et virginales contrées.

« Nous trouvant à l'improviste dans une famille, nous vîmes à un moment douze femmes, huit avaient un enfant dans le dos ou au sein, deux étaient enceintes, deux seulement n'étaient pas *suitées*[15]. »

J'ai cru lire, *suidées*, porcs, quoi! Mais non, elles sont *suitées*, car il faut bien un jargon spécifique pour décrire cette faune exotique et grouillante plus proche du primate que de l'homme. Et rien ne manquera à cette description que les narrateurs veulent d'un lyrisme majeur, même pas l'usage du prétérit.

Évidemment, cette description admirative et chatoyante nous présente le palier d'un immeuble de la région parisienne. Sur ce palier, toutes les ethnies ont le droit de vivre. On peut y trouver une famille de Blancs du Périgord, une famille d'Indiens du Nevada, une famille de Bédouins du Sahara. Et si l'une des ethnies a le droit de ne pas s'adapter, de mettre en pratique le folklore de ses origines, pourquoi les autres s'en priveraient-elles ?

Imaginons donc!

14. *Ibid*, p. 8.
15. *Ibid*, p. 8.

Imaginons que chaque soir, sur ce palier français de la banlieue parisienne transformé en village sahélien, les Indiens installent eux aussi leur tipi. Le grand sachem Puma Agile, après avoir passé le calumet de la paix à la ronde, allume un feu et envoie ses messages de fumée au sorcier, afin qu'il vienne exécuter la danse de la pluie. Les enfants des « suitées » suffoquent à cause de la fumée car le palier est étroit. Puma Agile n'en a cure. Le sorcier arrive, exécute avec succès, bien entendu, la danse de la pluie juste au moment où le Bédouin allume le feu de bivouac pour un immense méchoui. La pluie éteint le feu de bivouac, les enfants des « suitées » se mettent à hurler, les oies du Périgord se dispersent dans tous les sens et le Bédouin furieux, sort son cimeterre pour décapiter l'Indien qui tire son tomahawk, prêt à rééditer Little Big Horn.

Je ne plains que les pauvres et autochtones éleveurs des oies périgourdines, le gavage qui va prendre un sacré retard, les oiseaux qui risquent de ce fait une indigestion carabinée dont les effets nocifs sur le foie gras se répercuteront sur les consommateurs de Noël avec des conséquences incalculables pour le trou de la Sécu. Et puis quelle idée de rendre des oiseaux malades pour bouffer leur foie cirrhosé ? Serait-ce la revanche de Prométhée ? Il y a de ces rituels barbares !

Ne pensez pas qu'il s'agisse d'une fiction, un événement qui ne risque pas d'arriver. Le cri d'alarme des auteurs peut donner des idées aux autres peuples vivant en France. « Cette convivialité extrême, nous ne devons pas la supprimer en éparpillant les immigrés[16]. » Ghetto, vous avez dit ghetto !

Et dites-moi, pourquoi seul le Soninké aurait droit à conserver aussi formellement ses modes de vie ? Pourquoi pas le Peau Rouge, le Bédouin, l'Inuit, le Tartare, le Papou, le Périgourdin ? Étant bien entendu que toutes ces peuplades n'auraient pas évolué, comme ce texte laisse à penser du Noir, depuis le Néandertal.

---

16. *Ibid*, p. 8

Et puis, on arrive à la conclusion magistrale : « *Il ne faut pas éparpiller les immigrés.* » Évidemment, il ne s'agit que de l'immigré noir, le seul le vrai, le dur des durs, le marqué ! Ainsi, le Noir n'a pas le droit de sortir de cette convivialité qu'on lui plaque, même s'il est issu d'une société différente, même s'il a des ambitions différentes, même s'il est autre chose, même s'il revendique autre chose, même s'il ne demande qu'à s'intégrer.

En effet, pour les auteurs, l'immigré noir n'a pas le droit de vivre comme il lui plaît, en tout cas, ils ne lui reconnaissent pas ce droit. Jugez-en vous-mêmes. Sous le titre *Typologisation des familles*, nos sorciers classent la centaine de familles qui a fait l'objet de l'enquête, en six catégories. Voici comment ils décrivent l'une d'elles.

« **Famille monogame en voie d'assimilation.** Le mari monogame a un travail fixe et un revenu élevé. Il maîtrise assez bien la langue française. L'individuel prend le pas sur le *communautaire*. Son appartement clinquant en est une illustration. Sa femme [est] habillée à l'européenne. Les quatre enfants sont espacés, ce qui montre une maîtrise de la conception.

Cette famille a complètement rejeté sa culture d'origine et s'est glissée dans le monde occidental. Ils deviennent les victimes privilégiées de la société de consommation chez qui l'on trouve toutes les dernières nouveautés, du téléphone sans fil à la table en bois d'acajou verni. Est-ce cela que nous voulons qu'ils deviennent ces immigrés qui viennent d'Afrique ? Que restera-t-il alors de cette convivialité, de ce respect des anciens, de ce goût de la fête et de l'humour "noir" ? Ils seront devenus des caricatures de nous-mêmes[17]. »

Ce texte, on ne l'imaginerait même pas sous la plume d'un anthropologue du début du xxe siècle, étudiant les peuplades primitives. Le Noir n'a pas le droit de faire ce qu'il veut, de faire ses choix de vie, sans l'accord du maître. « *Est-*

---

17. *Ibid*, p. 22

ce cela que nous voulons qu'ils deviennent. » Vibrant cri d'alarme et de détresse que Brigitte Bardot pourrait lancer aujourd'hui au monde pour protester contre les dresseurs d'ours, de chimpanzés ou de tigres, qui enlèvent leur animalité à ces pauvres bêtes, pour qu'elles deviennent ce que l'on voudrait qu'elles soient, des caricatures pour le plaisir des hommes.

Quand je vous parlais du début du XXᵉ siècle! Les auteurs concluent dans une magistrale envolée de plume.

« Même si l'Africain en France nous semble parfois étrange, il a quand même bien évolué par rapport à cette vision qu'en avait A. Marshall en 1890. "Quelque soit leur climat, et quelques soient leurs ancêtres, nous voyons les sauvages vivre sous l'empire de la coutume et de l'impulsion… Capricieux en dépit de leur asservissement à la coutume, dominés par la fantaisie du moment" [18] », etc., etc.

On pourrait croire que ce texte, véritable *remake* du *Traité sur l'inégalité des races* de Gobineau (1853-1855), est l'œuvre de deux rigolos ou de deux malades mentaux. Mais si leur signature ne vous dit pas grand-chose, celle de leur caution scientifique – Jacques Barou – est plutôt notoirement connue dans les sphères parisiennes de l'ethnologie, de l'anthropologie[19] et de la publication sur les immigrés comme la revue *Hommes et migrations.*

La conviction que le Noir est une espèce qui ne peut vivre qu'en groupe racial est plus répandue qu'on ne le pense. La France qui a toujours réussi l'intégration des Blancs rejette le système de ghetto racial sur les Anglo-saxons. Elle *veut se convaincre* qu'elle a la volonté d'intégrer les Africains, Noirs et Maghrébins[20], hors système de ghetto. Mais si elle en était capable, cela se saurait. Il suffit de voir la ségrégation dont les

18. *Ibid*, p. 65.
19. Jacques Barou a écrit entre autres, *Les Anglais dans nos campagnes*, L'Harmattan, Paris, 1995 ; *L'Europe terre de migrations : flux migratoires et intégration*, Pug 2001 ; *La place du pauvre : histoire et géographie sociales de l'habitat HLM*, L'Harmattan, Paris, 1992 ; *Immigration, entre lois et vie quotidienne*, L'Harmattan, 1993.
20. Précisons que, par amalgame, les immigrés musulmans sont très souvent regroupés sous le terme générique et faux d'Arabes.

Antillais et plus récemment les Harkis, ont été victimes pour comprendre que le système du ghetto est certainement consubstantiel non des Anglo-saxons, mais du genre humain. Il n'existe pas que le ghetto territorial résidentiel. Si réserver un type de travail à une catégorie en raison de ses origines, n'est pas de la ghettoïsation – de l'OMI au BUMIDOM[21] –, je voudrais que l'on m'explique ce que c'est.

Nous sommes dans les années 1990. Nous assistons à une réunion regroupant le personnel du social et du logement. La situation du logement est plus tendue que jamais. L'État a dû se rendre à l'évidence : *certaines personnes, du fait de leurs origines ou de leur situation sociale, rencontrent des difficultés à se loger.* Nous avons donc mis en place un Protocole d'Occupation du Patrimoine Social. Le POPS est un dispositif que vient de proposer le gouvernement par la loi Besson, aux territoires (communes ou regroupements de communes) qui ont un important parc locatif social.

L'un des objectifs de ce dispositif est de réserver des quotas de logements aux ménages qui, hors dispositifs spécifiques, ne pourraient pas se loger. La bonne volonté des acteurs ne suffit pas pour résoudre les problèmes, d'autant plus que les communes voisines qui n'ont pas de grand parc social et n'ont donc pas à gérer la misère du monde, commencent à envoyer vers nous tous les demandeurs indésirables en leur disant : « Le POPS, c'est là-bas. » Nous nous arrachons les cheveux pour trouver des solutions quand, un jour, un de mes collègues nous apporte une idée de génie. Euréka ! Il a trouvé.

Je dois dire que l'homme n'est pas le premier farfelu venu. Il est d'une grande lignée d'urbanistes et sa fibre sociale est indéniable. Depuis des années, il participe à tous les efforts déployés sur le territoire pour trouver des solutions aux problématiques sociales diverses. Mais l'on commence à sentir une certaine lassitude chez lui comme chez

---

21. BUMIDOM : Bureau des MIgrations d'Outre-Mer : ce bureau assurait l'embauche des Antillais et leur accueil en Métropole, pour occuper certains postes spécifiques. C'est en quelque sorte le pendant antillais de l'OMI (Office des Migrations Internationales) réservé aux étrangers.

beaucoup d'entre nous, car nous avons la désagréable impression de ne pas progresser, bien au contraire!

Est-ce à cause de cette lassitude? Toujours est-il qu'un jour, il nous arrive donc avec une découverte géniale. Il a enfin compris. Voilà sa pensée.

« Je crois vraiment que nous avons fait fausse route jusque-là. Vouloir mélanger les gens de couleurs, c'est-à-dire les immigrés africains, avec les autres ethnies, ce n'est certainement pas ce qu'ils attendent de nous. J'ai compris que ces gens-là veulent vivre entre eux et nous n'avons pas le droit de les séparer. C'est dans le sens de leur regroupement que nous devons dorénavant agir. »

Les Noirs veulent vivre ensemble, parce qu'ils sont tous pareils, de même origine raciale. Après l'anthropologue, c'est le cadre de l'administration; après l'intellectuel, fort logiquement, le professionnel. Je suis certain que mon collègue a entendu ce discours quelque part. Ce n'est tout simplement pas possible qu'il ait inventé cette idée, *lui*! Cette conception des attentes africaines doit déjà circuler dans les salons parisiens et les alcôves des urbanistes. Le Noir est décidément un produit d'origine contrôlée. Il ne peut appartenir qu'à son groupe racial et non à un groupe social.

Quelques années plus tard, j'ai à nouveau entendu parler de concentration. Dans un excellent livre qui vient de paraître, les auteurs, à juste titre, pensent que « l'incantation à la mixité sociale est un contresens sociologique[22] », c'est-à-dire un délire intello qu'aucune couche sociale n'a jamais revendiqué. Puis ils poursuivent: « Il est plus que probable que l'éparpillement sur le territoire de populations en difficulté sociale et économique augmenterait les coûts du traitement social et le rendrait difficile à mettre en œuvre. Pour les habitants éparpillés, la perte des réseaux de soutien dont ils disposent aujourd'hui dans les quartiers provoquerait vraisemblablement l'aggravation des situations[23]. »

22. Georges Lancon, Nicolas Bouchoud, *Ces banlieues qui nous font peur*, L'harmattan, Paris, 2003, p. 24.
23. *Ibid* p. 24.

Des concentrations homogènes de personnes ayant des caractéristiques sociologiques identiques et ne rencontrant pas des difficultés sociales et économiques majeures, ces concentrations sont positives et ces personnes n'ont pas besoin de mixité. La concentration des populations en difficulté sociale ou économique génère des dysfonctionnements que l'éparpillement gommerait de fait. Ici, il s'agit de personnes plus ou moins exclues (étrangers), se repliant sur elles-mêmes ou se vengeant (les Blacks et les Beurs) sur ceux qui les excluent.

Posons une hypothèse d'école. Si l'on se dit que 5 à 10 % des adolescents des quartiers difficiles rencontrent des difficultés scolaires ou sont devenus des Blacks vengeurs et destructeurs, une concentration qui regrouperait 200 jeunes dans une cité ferait émerger entre 10 et 20 cas difficiles. Si ces 20 jeunes nourrissent des sentiments de haine pour ceux par qui ils se sentent exclus, ils seront assez forts pour causer des violences urbaines impressionnantes.

Si, dans un quartier, il n'y a que cinq jeunes en difficulté, le pourcentage ne donnera qu'un individu révolté qui, seul, n'osera pas s'attaquer à la société. À partir de là, les réseaux et dispositifs spécifiques pour lutter contre les dysfonctionnements ne seront pas nécessaires.

Les difficultés rencontrées par une ou deux familles nombreuses et en voie d'intégration dans un environnement normal, seront facilement traitées par les acteurs sociaux locaux et de manière classique, c'est-à-dire sans qu'il soit besoin de créer des réseaux spécifiques. Si un enseignant a un ou deux élèves en difficulté sur les vingt-cinq de sa classe, on peut supposer qu'il s'en occupera mieux que celui qui en a dix pour un effectif identique. Il en va de même pour tous les acteurs locaux. Donc, si la concentration de difficultés entraîne une inévitable mise en place des réseaux, elle génère ses propres effets pervers. Avant de permettre la création des réseaux, la concentration crée des problèmes que l'on ne rencontrera pas dans une situation de dilution. En outre, la concentration appelle la concentration et des difficultés croissantes. Quand elle débute, les Blancs décampent et l'horizon local se noircit, s'assombrit au propre et au figuré.

Le discours sur la concentration des cas difficiles, je l'ai hélas déjà entendu de la part de quelqu'un qui revendiquait une pure logique commerciale, aux antipodes de toute considération sociale. Voici ce qu'il disait :

« La situation du logement est très tendue. Nous avons dans nos parcs, des ménages dont il suffit de deux ou trois pour pourrir un environnement ; à cause de leur non-maîtrise des règles de voisinage ; à cause de leur taille. Les bons locataires qui peuvent partir ailleurs ne restent évidemment pas. Et si je laisse faire, ce parc fini par être entièrement occupé par des ménages difficiles. Alors aujourd'hui, il ne me reste qu'une marge de manœuvre. J'ai deux types de parcs. Je peux laisser pourrir l'un, alors j'y envoie tous les ménages indésirables qui n'ont d'ailleurs pas les moyens d'être exigeants. L'autre parc, je le préserve et je garde mes bons locataires[24]. »

Et le son de cloche commercial, je l'ai entendu avant le discours de mon collègue qui veut faire exactement la même chose que le gérant de logements sociaux, mais convaincu à tort qu'il satisfait aux attentes des Noirs qui rechercheraient des concentrations sur la base des origines, de la couleur de la peau. Alors, je me méfie. J'ai donc dit ceci à mon collègue qui voulait regrouper les Noirs.

« Écoute ! Toi et moi, nous avons certainement le même niveau universitaire. Toi et moi, nous faisons le même boulot. Toi et moi, nous avons la même religion. Toi et moi nous avons certainement les mêmes ambitions pour nos enfants et les mêmes moyens pour les aider à les atteindre. La seule chose qui nous distingue et qui me rapproche des populations dont tu parles et dont tout le reste me sépare, c'est la couleur de ma peau et de lointaines et disparates origines continentales communes. Est-ce que tu penses sérieusement que j'ai envie de les avoir comme voisins de palier,

---

24. Ces propos m'ont été tenus lors d'une rencontre par un responsable d'HLM. Ce discours et ce comportement sont plus courants qu'on ne le dit. Lançon et Bouchoud, mais aussi Donzelot, en sont eux aussi convaincus.

alors que tout nous sépare, tout simplement parce qu'ils ont la même couleur de peau que moi ? »

Est-ce que les origines, et plus que les origines, la couleur de la peau, devraient devenir à ce point le critère essentiel de réflexion sur les problématiques migratoires ? Je veux bien ! Pourvu qu'on ait l'honnêteté de reconnaître, comme Donzelot, que le problème urbain français est un problème racial et non un banal problème social. Bob Marley chantait que le jour viendrait où la couleur de la peau d'un homme n'aurait pas plus d'importance que celle de ses yeux.

Il est vrai que les choix migratoires de la France ont pu conduire à croire que tous les Noirs sont pareils. Mais le plus simple ne serait-il pas, au final, de se référer le moins possible aux prétendues cultures, aux mythiques racines, de s'y référer éventuellement pour comprendre quand c'est nécessaire mais non comme le moyen de solutionner le problème en constituant des ghettos de Noirs, parce qu'ils seraient tous pareils ? Il est évident que nous fonçons à bride abattue vers des solutions à l'américaine. D'ailleurs, nous y sommes déjà. Le ghetto existe, je l'ai rencontré aux Tarterêts, aux Minguettes, au Mirail.

III - JE SUIS NOIR ET JE SUIS BOURGUIGNON

Dans une école primaire de la Goutte-d'Or à Paris, ce jour-là, c'est la visite de l'inspecteur d'académie. Les trois quarts de la classe sont composés d'enfants crépus, basanés ou bridés. Devant l'air surpris de l'inspecteur, l'instituteur se sent obligé d'intervenir.

« Je comprends votre surprise ; mais rassurez-vous Monsieur l'inspecteur. Tous ces élèves étrangers sont Français. »

Trois éléments déterminent l'appartenance à la citoyenneté : l'hérédité, le lieu de naissance ou le choix de vie. L'appartenance à une nation n'est pas déterminée par des critères physiques. Ce qui détermine mon existence, ce n'est pas tant d'où je viens que ce que je deviens.

Ensuite on assume ses choix. On ne les subit pas.

Je suis bourguignon et pour plus de précision, je suis d'Époisses en Côte-d'Or, chef-lieu Dijon. Mon terroir se trouve donc non loin d'Avallon. C'est le pays du charolais et du bon vin, des escargots et des épices.

Je suis bourguignon comme ceux qui y sont nés, parce que j'en ai un jour décidé ainsi. Je suis bourguignon parce que je n'avais plus de choix, parce qu'il fallait que je trouve une réponse originale à tous ceux qui me demandent sans arrêt d'où je viens et qui s'attendent évidemment à ce que je leur réponde que je viens d'Afrique ou peut-être des Antilles. Monsieur, me dit-on, votre profil renvoie au Zambèze plus qu'à la Corrèze. Mais je suis Bourguignon. Et si vous tenez tant à vous fier aux apparences, celle de mon nom ferait de moi un Alsacien, un Allemand, un Israélien, un Américain et à force d'être tout, je finirais par ne plus être du tout. Alors, je me contente d'être Bourguignon.

Je suis bourguignon parce que j'en ai pleinement le droit, parce que l'existence précède l'essence, parce que j'ai absolument le droit de choisir ma nationalité comme je choisis ma religion et mon lieu d'ancrage, d'enracinement, sans que l'on me ramène sans cesse à des racines et à des origines que l'on croit à tort, inscrites sur mon faciès négroïde.

Je suis bourguignon parce que je ne vais plus laisser une couleur de peau que je n'ai même pas choisie, me bousiller la vie, déterminer mes origines, ma destinée terrestre, puis mon profil professionnel, puis mon lieu de vie ; et si je n'y fais pas attention, après ma mort, elle déterminera aussi mon lieu de repos éternel ou plutôt, mon lieu de tourment et de damnation éternelle, c'est-à-dire l'enfer. Bien entendu !

Je suis bourguignon par choix. Tu es essonnien mon fils par le droit du sol et elle est ce-qu'elle-veut ta mère, alors que ta sœur est parisienne. Elle est parisienne comme un Afrikaner parfaitement blanc est johannesburgeois au même titre que le Zoulou, sans que l'on cherche toujours à le rattacher à sa lointaine Hollande originelle ; et qui le ferait aurait tort. Je suis bourguignon comme un Noir de Harlem est aussi américain qu'un WASP des beaux quartiers, ou un rital pizzaïolo, ou encore le flic d'origine irlandaise, bien que le Noir s'entête à être africain-américain, comme si l'on disait européen-américain.

Les Américains noirs illustrent cette ghettoïsation mentale qui vient de la misère ou de la souffrance et pousse à s'ancrer sur une origine et non sur un espace de vie, sur un espace social. Et pourtant, ces Noirs sont tellement américains que, quand certains ont pensé s'installer en Afrique – au Liberia ou au Sierra Leone –, pour retrouver leurs frères noirs, leur réalité d'Occidentaux a pris le pas sur la fraternité épidermique. Ils ne pouvaient se concevoir que comme les chefs, les sauveurs, les colonisateurs, les civilisateurs des sauvages indigènes auxquels ils ne se sont jamais mêlés. On connaît la suite de cette lourde faute sociologique (Noirs = frères) et la folie meurtrière de Caliban-Doe, relayée par celle non moins meurtrière du maître en colère, Mister Ariel-Taylor[25].

Alors, je suis Noir Mamadou et néanmoins bourguignon, comme on est Zimansky, Podlesny ou Platini et lorrain, Zidane et provençal, Zimmermann, Gomez ou Koffi et breton, Zitrone ou Zitouni et francilien.

Je suis très content, inestimablement content et fier d'être bourguignon parce que chaque fois que je le dis, je fais plus d'effet que si j'avais affirmé, soucoupe volante, teint vert, antennes et autres preuves à l'appui, que j'étais un habitant de la planète Mars. Et vraiment, j'aime ça. La Bourgogne peut, elle aussi, être fière de moi, parce que vue l'originalité que l'on attribue à ma personne, je dois certainement faire avancer le tourisme.

« Pourquoi m'enfermerais-je
dans cette image de moi

---

25. Les allusions à Caliban, l'esclave et Ariel le mulâtre, donc plus proche du maître blanc, renvoient à l'œuvre de Césaire, *Une tempête*, une adaptation de *La tempête* de Shakespeare.

qu'ils voudraient pétrifier ?
Pitié ! Je dis pitié !
J'étouffe dans le ghetto de l'exotisme[26]. »

Ainsi hurlait, il y a un demi-siècle, un poète noir qui se sentait déjà et toujours à l'étroit dans le costume d'exotisme que l'on taille à sa race. Aujourd'hui en France, la stigmatisation continue et de plus belle. Quel est le Noir à qui l'on n'a jamais demandé d'où il vient ? Qu'il lève le doigt, afin que je le mette dans un cadre, que je l'installe au musée de l'Homme et qu'il prenne la place désormais vacante de Mademoiselle Saartjie Baartman, la Vénus hottentote, car il serait l'unique spécimen de l'espèce mélanoderme à ne pas avoir à décliner son pedigree au quotidien.

Je n'oublierai jamais ce pauvre bougre qui s'exprimait un jour à la télé. Il disait son incompréhension du fait que l'on puisse être noir et français. C'est comme si l'on pouvait être *noir* et *blanc*. La France serait donc le pays des Blancs. Ceci est tellement vrai dans les consciences des indigènes locaux et autres immigrés blancs de plus ou moins fraîche date, que le dernier à te poser cette question – tu es d'où ? – n'est pas Gomez le maçon portugais de ton chantier ; ce n'est pas non plus le courtaud moustachu au poil noir et au nom barbare qui est électricien – peut-être en situation irrégulière sur le territoire – et dont l'accent garde encore les mélodies rocailleuses et gutturales de sa tumultueuse Bosnie ou de sa rurale Turquie natales, sans parler de sa grammaire et de son vocabulaire qui s'arrêtent à l'usage des onomatopées, des formes elliptiques et des phrases avec la majorité des verbes à l'infinitif, du style... petit nègre.

Ces braves Blancs se sentent plus chez eux en France que le descendant d'esclave nègre de Pointe-à-Pitre, Français depuis des siècles ; plus français que le Noir originaire de Pointe-Noire, dont la capitale Brazzaville a été capitale de France ; ou le Sénégalais de Saint-Louis (ville fran-

26. Guy Tirolien, *Balles d'or*, Éditions Présence africaine, Paris, 1961, p. 73.

çaise depuis 1659, ses habitants ont rédigé un cahier de doléances aux états généraux de 1789) dont l'ancien président, ancien député français, a siégé parmi les immortels de l'Académie française jusqu'à sa... mort,

Alors nos immigrés blancs leur demandent : « Mon ami [parfois on dit aussi chef, il paraît que les Noirs aiment ça ; ou bien Mamadou ! Si ! Si ! Pour certains Blancs des chantiers, tous les Noirs sont encore Mamadou, tout comme les Beurs continuent à être Momo] tu viens d'où ? » Ceux-là, même si on les suspecte de ne pas faire partie du X % de Français de souche (je dis X % parce qu'il n'y a pas deux statisticiens de l'INSEE ou deux hommes politiques pour être d'accord sur un pourcentage et sur la profondeur de cette souche), on ne leur pose presque jamais la question de savoir d'où ils viennent.

Pour revenir à l'homme de la télé, le pauvre avait revêtu son habit du dimanche, sa rigidité rurale et sa timidité des moments solennels ; il dégoulinait de la naïveté poussive des gens de sa classe. La visite d'un plateau de télé a aujourd'hui plus de puissance que nos grands-messes des Noëls d'antan, en France ou dans les colonies, et mérite donc qu'on la célèbre dans son plus beau costume et avec toute la vénération due aux prélats profanes que sont les animateurs télé à l'aura quasi christique.

L'homme s'exprimait avec beaucoup d'humilité. Sur son visage, on pouvait lire la légère et émouvante crispation de ceux qui savent qu'ils ne savent pas grand-chose ; qui savent qu'ils se trouvent face à ceux qui savent – en l'occurrence les doctes présentateurs du petit écran –, et qui vont peut-être les délivrer de leur angoisse. On pouvait lire sur son visage la crispation pathétique de l'enfant de jadis (ceux d'aujourd'hui s'en fichent complètement) tétanisé par le regard hypnotique du savant enseignant *magister dixit*. Le pauvre bougre de la télé exprimait tout haut les basses angoisses qui minent les cerveaux brumeux et marécageux de beaucoup de Français blancs. Comment peut-on aujourd'hui être noir et français, si depuis des siècles, les Antillais n'ont jamais réussi cette alchimie ?

La France n'est pas encore prête.

On se rend compte que pour ceux que l'on nomme les Métropolitains, les Antillais, même nés en Métropole, sont antillais et non français. Je parle évidemment des Antillais noirs, car, même nés aux Antilles, les Blancs sont tout simplement des Blancs. Parfois les choses vont plus loin et l'Antillais devient étranger, comme c'est si souvent le cas au détour d'un de ces lapsi que l'on dit révélateurs. Les hommes politiques sont tellement champions de cet exercice de style, que l'on serait en droit de se demander s'ils ne font pas exprès pour faire plaisir aux Blancs français qui ne sont pas prêts à voir en moi un pur produit bourguignon. Les millions de Noirs – plus de 6 millions selon une récente estimation du journal *Marianne*, soit 10 % de la population française, *le même taux que les Noirs aux États-Unis* – seraient tout ce qu'ils veulent, mais pas français.

En plus des hamburgers et du Coca Cola, en plus du rêve de certains hommes politiques d'une police de style new-yorkais – rêve que je ne rejette d'ailleurs pas en bloc : aux grands maux les grands remèdes –, la France aurait beaucoup d'idées, et de bien meilleure qualité, à importer des États-Unis. En effet, à ma connaissance, dans l'histoire récente, la France et les États-Unis sont les deux seules grandes démocraties qui ont eu recours à une importation officielle, étatique et massive de main-d'œuvre subalterne, l'un avec les esclaves, l'autre avec les immigrés venant de ses anciennes colonies.

En France comme aux États-Unis – et en Afrique évidemment –, plus que dans tous les autres pays, le Noir est fondamentalement un être subalterne. Ceci est dû à la place que le travailleur immigré, comme le Négro-Américain aux USA, occupe sur l'échelle sociale et dans les représentations de la société. Le Noir français est forcément un éboueur. Cette image est incrustée dans l'inconscient collectif. Je me souviens de ce maire qui m'avouait que, quand il cherche un cadre, il ne pense pas au Noir, mais quand il cherche un agent de sécurité, un agent d'ambiance, un adulte relais, un technicien de surface (nouvelle appellation homéopathique du balayeur), sa pensée va immédiatement – et on pourrait ajouter : fort logiquement – au Noir. J'ai beaucoup apprécié la franchise de ce jeune édile car au moins il est conscient de ce que beaucoup d'inconscients taisent pudiquement. En effet, le grand homme ne m'a jamais trouvé du travail, mais il en a trouvé à un de mes amis, comme correspondant de nuit, c'est-à-dire agent d'ambiance adulte, travaillant la nuit. Entretemps, il a évidemment embauché moult cadres blancs à des postes que de l'avis de tous, j'aurais valablement et plus efficacement occupés.

Pour en revenir aux États-Unis, je suis aussi heureux de ce récent ouvrage qui compare la situation raciale française à celle de ce pays, heureux de savoir qu'il y a comme moi des gens – blancs – qui ont compris que le problème français vis-à-vis des immigrés jugés subalternes est un problème racial et non un problème social, alors que la population et ses dirigeants, en dignes héritiers de Tartuffe, continuent à vouloir hypocritement cacher cette réalité qu'ils ne sauraient voir. Jacques Donzelot dans l'ouvrage intitulé *Faire société* [27], qu'il a co-écrit avec Catherine Mevel et Anne Wyvekens, dresse un constat clair et affirme que les violences urbaines françaises découlent bien d'un problème racial.

Les auteurs commencent par planter le cadre comparatif entre les violences urbaines européennes et américaines. « Il semble à cet égard que celles [les Nations] qui comptent, du fait de leur passé colonial, une part notable de leurs populations issues de leurs anciennes possessions – donc la France et la Grande Bretagne – soient les plus exposées aux formes spectaculaires de ces violences… sans doute, le passé esclavagiste des États-Unis constitue-t-il, à cet égard, une circonstance plus aggravante que le colonialisme européen [28]. »

Le dysfonctionnement en Europe comme aux États-Unis, trouve donc son origine dans le malaise d'une popula-

27. Jacques Donzelot avec Catherine Mevel et Anne Wyvekens, *Faire société, la politique de la ville aux États-Unis et en France*, Le Seuil, Paris, 2003.
28. *Ibid*, p. 22.

tion qui se sent infériorisée, méprisée. Ce que les parents ont subi, les enfants ne peuvent le supporter. Selon Donzelot, la France s'entête cependant à comparer les violences urbaines actuelles à celles d'origine sociale qui sévissaient au début du XIXe siècle et opposaient le prolétariat au patronat. Ce faisant, les solutions préconisées pour combattre ce fléau ne pourront que conduire vers une impasse, puisqu'elles partent d'un diagnostic erroné.

On commence par affirmer que « les cités d'habitat social en France n'ont rien de comparable avec les ghettos américains[29] ». En France, les concentrations découleraient d'une logique économique et aux USA, d'une logique raciale. Évidemment, ceux qui le disent n'ont jamais fait un tour au Mirail arabo-toulousain ou aux Tarterêts négro-corbeillois.

Après l'affirmation ci-dessus, le ton se fait plus nuancé : « Mais il faut tout faire pour éviter que nos villes finissent par ressembler aux villes américaines[30]. » Ah bon ! Pourquoi ressembleraient-elles aux villes américaines puisque ni leurs urbanisations ni leurs peuplements ne sont semblables ? Les auteurs se délectent de ces contradictions, de ces contorsions, et ironisent. « Tant de précautions pour éviter qu'une situation dérive vers une autre alors qu'en principe, tout les oppose, peut donner à penser que l'opposition en question n'est pas si forte qu'on le laisse entendre. Si le problème posé en France avec les violences urbaines est bien implicitement celui de l'apparition des minorités ethniques comme telles, au cœur de nos villes, en quoi se distingue-t-il sur le fond du problème américain[31] ? »

Et la question que nous nous posons en France, puisque nous ne voulons pas faire comme les États-Unis, est la suivante : qu'allons-nous faire de nos minorités ? Allons-nous continuer à les concentrer dans les espaces spécialisés comme on l'a fait avec les foyers, comme on l'a fait pour les Harkis et comme nous avons vu beaucoup d'acteurs le sug-

29. *Ibid*, p. 25.
30. *Ibid*, p. 25.
31. *Ibid*, p. 25.

gérer dans le premier chapitre? Allons-nous les acculer à être Noir-Francais comme on est Noir-Américain ou allons-nous les accepter dans les identités régionales et locales pour qu'ils soient tout simplement des Bourguignons, Bretons, Franciliens ou Évryens, Corbeillois, Fluriacumois, Malucampucéens, Salucéens, Castelvirois et autres Gaulois aux noms plus ou moins barbares.

En attendant, nous sommes dans une phase critique et Donzelot et ses coauteurs tirent la sonnette d'alarme sous la forme d'une conclusion sans appel. Les violences urbaines françaises actuelles ne sont pas les héritières des conflits sociaux du XIXe siècle, mais les sœurs cadettes des conflits raciaux aux États-Unis. « Nous voudrions montrer que la réalité du problème posé par les violences urbaines, en France, se comprend beaucoup mieux par une comparaison avec les villes américaines que par une filiation historique avec les émeutes urbaines du XIXe siècle... Les violences actuelles s'inscrivent dans le cadre d'une logique de séparation entre une majorité aisée, définie par la capacité de valoriser son travail, et une minorité pauvre composée en bonne partie de la population issue de l'immigration récente – périphrase par laquelle on désigne les minorités ethniques dans notre pays...[32]»

Les Français ne sont pas encore prêts, les Américains non plus. Mais un jour, l'Amérique a assumé son choix social du ghetto. Ils ont aussi compris que, compte tenu du contexte historique de leur entrée aux États-Unis (l'esclavage et ses conséquences), certaines minorités avaient besoin d'un coup de pouce. Ils ont saisi que l'être humain doit être un peu bousculé si l'on veut aller dans le sens du progrès. Alors, l'Amérique essaye depuis des décennies de réussir la promotion du Noir, en mettant en place des programmes de développement social qui lui sont *explicitement* destinés; qui permettraient à celui-ci de combler petit à petit son retard. C'est exactement comme si l'on pose une rampe pour que les personnes handicapées moteur puissent

32. *Ibid*, p. 26.

évoluer à peu près comme tout le monde. On trouve notamment le système dit de la discrimination positive (*Affirmative action*) qui a le mérite de proposer des solutions sur la base raciale, puisque le problème est racial; exactement comme en France, on l'a fait pour l'autre groupe longtemps bafoué, c'est-à-dire les femmes, avec la parité. Sérieux comme des papes d'Avignon, les responsables politiques vous disent que la France n'admet pas la politique des quotas. Cinquante pour cent des places pour un groupe qui représente la moitié de la population, j'aimerais savoir ce que c'est si ce ne sont pas des quotas ! Alors, ce que l'on a fait pour les femmes, on n'a pas le droit de le faire pour le groupe des étrangers, victimes de ségrégation.

Aujourd'hui, aux États-Unis, si la discrimination positive a connu des hauts et des bas au niveau officiel, notamment à cause des arrière-pensées électoralistes et des alternances politiques, elle est en marche dans la société civile à travers le cinéma, la télévision, l'emploi et les postes gouvernementaux. Il est vrai que, dans ce pays, la ségrégation raciale pure et dure du passé a laissé sur le carreau une forte majorité de Noirs qui, du berceau à la tombe, attendent la mort en vivotant grâce aux aides sociales. Cependant, les observateurs sont unanimes pour reconnaître que, désormais, la sélection à l'emploi se fait globalement au mérite et non au faciès, et que les Noirs modestement formés ou hautement diplômés s'en sortent sans problème. Je ne sais pas si le Malien Cheick Modibo Diarra, celui que l'on nomme l'Africain de la NASA, aurait réussi en France la carrière exceptionnelle qu'il mène aux États-Unis. Aujourd'hui, aux États-Unis, il est possible à un Noir d'être couronné Oscar du meilleur acteur. Pour rattraper le retard, on peut même faire coup double comme en 2002 pour Halle Berry et Denzel Washington. La portée symbolique de ce sacre était manifeste, ce qui n'enlève rien au talent de ces acteurs. En France, il est encore impossible qu'Hocine, plébiscité par ses pairs et la *vox populi*, puisse être accepté comme vainqueur de la minuscule Star Académie.

Pour ajouter un mot sur le cinéma, le Noir dans le cinéma français occupe aujourd'hui la place qu'il occupait aux USA il y a une cinquantaine d'années et que fustigeait Sidney Poitier; faite de stéréotypes (*Antilles sur scène*), de stigmatisations (*Fatou la Malienne, Black mic-mac, La Haine*), avec des personnages de bonnes (*Romuald et Juliette*), de sorciers, d'amuseurs. Si on voit ici ou là quelques rôles de flics, qui peut s'imaginer aujourd'hui en France, un Noir libérateur du style Wesley Snipes, ou jouant les rôles tenus aux États-Unis par Morgan Freeman, Denzel Washington ou encore Eddy Murphy. Il convient cependant de dire que si la France n'est pas encore prête, le Noir ne l'est peut-être pas plus, et que quand Spike Lee produit des films comme *Malcolm X*, en France, les réalisateurs antillais nous servent des films du genre *Antilles sur scène*.

Je ne prétends pas que la politique des quotas dans les ghettos soit la panacée. Je tiens autant, sinon plus que quiconque à la notion de citoyenneté et d'égalité républicaine si chère à la France. Mais y a-t-il incompatibilité entre la mise en place de solutions radicales et d'exception – quotas – pour conduire à marche forcée vers une citoyenneté plus rapidement atteinte? En fait, ces solutions n'existent-elles pas déjà à travers les Missions locales dont le public est au moins à 90 % composé de jeunes issus de l'immigration? À travers les contrats d'intégration exclusivement destinés aux publics migrants? Il suffit juste de le reconnaître publiquement et de procéder à des analyses pour voir si elles sont adaptées aux publics visés.

Les Français ne sont pas encore prêts, nous dit-on, et surtout il ne faut pas les bousculer. Mais à quoi voudrait-on que les Français soient prêts, au ghetto ou à la multiraciali-té? À la citoyenneté dont on nous parle tous les jours ou au développement ethnique qui couve dans certains dossiers des milieux scolaires, professionnels et résidentiels?

Les Français ne sont pas prêts. C'est ce que m'affirmait cette femme qui, chargée d'insertion professionnelle des jeunes, comprenait fort bien qu'une boulangère d'Enghien ait donné congé à sa stagiaire noire parce qu'après deux mois de présence de la jeune fille dans la boutique, son chiffre d'affaires avait baissé de 10 %. Ou encore cet autre boulanger – décidément! – du Val-d'Oise – re-décidément – qui affirmait qu'aujourd'hui dans une boulangerie française, un Noir au fourneau ça passe, mais dans la salle, ça ne passe pas.

La France n'est pas encore prête! Mais on peut la bousculer un peu. Ça n'a jamais fait de mal à personne.

Merci, Madame de Fontenay; deux Miss France noires en trois ans, c'est téméraire, c'est bien, c'est beau, c'est antibeauf!

Comme dit le reportage paru dans *Marianne*, « la télévision, la presse et à travers elles, la République, ne veulent ni voir les Noirs, ni les faire voir... d'où une incroyable sous-représentation dans la presse et les médias audiovisuels[33] ». Il suffit de traverser la Manche dans le pays de la perfide et supposée ghettoïste Albion pour voir des Noirs occupant les plus hautes places de l'audiovisuel. En France, la situation est au *statu quo* depuis toujours.

Toutes les sociétés, tous les groupes qui composent la France, celle d'en haut et celle d'en bas, celle de gauche comme celle de droite, celle des villes qui est au contact des Noirs et encore plus celle des champs qui les suspecte d'autant plus qu'elle ne voit d'eux que l'image déformée et difforme des médias, toutes les composantes de la France sont effrayées par l'invasion noire. Alors, les pouvoirs publics, appuyés par la complicité des médias et des statistiques, cachent soigneusement ces horribles Noirs que le pays ne peut voir.

La France n'est pas encore prête à comprendre qu'elle est multiraciale et que l'on peut être noir et français! Noir et bourguignon!

Le même numéro de *Marianne* avance une estimation dont la fourchette haute dénombre six millions et demi de Noirs, sans compter les clandestins dont le nombre est très

---

33. *Marianne*, 23-29 septembre 2002, p. 52.

important. Si on y ajoute les personnes originaires d'Afrique au nord du Sahara, c'est près d'un habitant sur cinq qui est d'origine jugée subalterne. Le recensement général de la population de 1999 présente pudiquement 723 725 étrangers hors Union Européenne, Maghreb et Turquie. Il s'agit donc des Noirs, Asiatiques, Américains et Océaniens. En estimant que les Noirs y représentent 500 000 personnes, on est bien loin du compte. Même si tous les 2 300 000 naturalisés étaient noirs, on n'arriverait pas à la moitié des estimations de l'hebdomadaire. À moins que les plus de trois millions d'individus manquant à l'appel ne soient originaires des DOM-TOM.

En effet, c'est là que se situe le problème. Quand la multiracialité sera-t-elle admise dans la société française et avec une unité culturelle nationale? Combien de temps les Noirs resteront-ils enfermés dans cette image d'exotisme et de marginalisation que l'on a à jamais pétrifiée? Est-ce qu'être français est une affaire de couleur de peau ou d'adhésion au pacte républicain?

« D'où venez-vous? », demande-t-on gentiment au Noir. Parfois le contact est moins amical. « Si vous n'êtes pas content, rentrez chez vous. » Les plus jeunes parmi les Noirs, ceux-là qui sont aussi les plus vulnérables, n'échappent pas à cette question, à cette profane inquisition des temps modernes, à cette injonction. Malgré leur style vestimentaire, leur langage, leur éducation, qui sont tout simplement les purs produits de leur pays, la France, ils sont suspects d'être d'ailleurs.

Que l'on pose cette question au vieux Mamadou et à son pair Moussa, empêtrés de majesté dans leur gandoura de la tabaski, l'on peut comprendre: gandoura, boubou, cure-dent en bouche dans le train, dent en métal brillant, affichent l'exotisme criard de leurs ostentatoires propriétaires. Qu'on la pose à Binéta et à Astan, pulpeuses Sénégalaises exprimant bruyamment leur bonheur wolof, dans le bus 402 d'Évry-Courcouronnes, on se dit que la question repose sur une évidence. Ou encore à Kakoko et

Kidumu, ex-sapeurs et ex-Zaïrois zézayant leur satisfaction d'être en France, au volant d'une Mercedes, la face décapée par de puissants corticoïdes, cela peut paraître normal. Mais quand on le demande à ce marmot noir de banlieue avec ses onomatopées gutturalisées, sa nonchalance de somnambule, sa casquette de guingois, ses interminables débardeurs de basketteur US et ses pantalons pas-la-peine-de-pousser-y-a-d'la-place-pour-deux, je me dis que la situation est très grave. Mais pas désespérée.

Rassurons-nous, si l'on peut dire. Rassurez-vous, frères blancs, le Noir n'est pas en reste dans cette entreprise. Depuis qu'on lui a prouvé par le mythe de Cham, l'esclavage, la colonisation, l'immigration subalterne, qu'il est inférieur à l'homme blanc, il en rajoute au-delà des espérances de l'autre.

Le Noir participe à cette œuvre de pétrification de son image exotico-négative par l'essentialisation. C'est le procédé, nous l'avons vu, qui consiste à accepter ce que l'on dit de vous et à finir par en faire une vérité, un élément constitutif de votre identité, de votre personnalité. Elle enracine l'être dans un état originel dont il ne peut se défaire, et sur lequel n'influeraient nullement la culture, le milieu social et l'éducation.

Sans qu'on lui ait rien demandé de la sorte, il a décrété tout seul que le Blanc est l'étalon de la beauté, de la richesse, de l'intelligence et il n'en démord pas. Dans beaucoup de pays africains, tout ce qui est positif ou beau, est blanc. Les fruits dits du Blanc – papaye, orange, mangue, goyave, mandarine – sont les meilleurs de l'espèce ; les espèces acides sont généreusement attribuées à l'indigène. La belle maison, la bonne nourriture, tout ce qui est bien est au Blanc. L'essentialisation, l'auto-infériorisation arrivent à un point insoupçonné avec l'hymne national camerounais que les populations locales ont entonné le jour de l'indépendance et que des générations de gamins ont innocemment braillé pendant des années. Cet hymne a été écrit par des nationalistes camerounais combattants de l'indépendance, et voici ce qu'il disait : « Ô Cameroun berceau de nos ancêtres, autrefois tu vécus dans la barbarie. Comme un soleil tu commences à paraître ! Peu à peu tu sors de ta sauvagerie. » À ce niveau d'auto-flagellation, il ne reste plus qu'à envisager le pèlerinage à Lourdes, car on est en droit de penser que seule une intervention divine peut encore vous sauver.

Dans cet exercice de diabolisation et d'infériorisation du Noir, on a vu que le Noir est en fait trop ; mais la France n'est pas mal non plus. En France aussi, le Noir est assimilé à l'horreur, à l'immoral, à la laideur. On parlera du travail au noir, de la magie noire, des messes noires, de la caisse noire, des idées noires, du pain noir, du mouton noir et même du chat noir, porteur de mauvais présages.

Il est aussi une conception très répandue entretenue par les Noirs et par les Blancs : l'Afrique, continent de plus de 650 millions d'habitants, est toujours présenté comme un village noir. Tout ce qui y vit – en tout cas au sud du Sahara –, est noir et tout ce qui est noir, nous l'avons vu, ne peut être d'ailleurs. Il y aurait aussi obligation d'uniformité de comportements.

Une amie blanche qui se souciait de mon équilibre psychique, m'a demandé si j'étais complexé par mes origines. Grande a été ma surprise. J'ai voulu savoir le pourquoi de cette question. Alors, non sans étonnement, j'ai appris sa propre surprise de voir que je ne m'habillais pas à l'africaine, que je ne disais pas mon prénom africain, que contrairement aux Africains qui aiment la viande bien cuite, je mangeais du steak saignant et même du tartare. Tout y est passé. Cette femme me fliquait depuis des années ! Je crus rêver. *Pourquoi m'enfermerais-je dans cette image de moi qu'ils voudraient pétrifier ?*

Pourquoi n'apprécierais-je pas Beethoven, le steak saignant ou le tartare ? Je lui ai dit que j'espérais, quand elle irait dans un pays africain avec son mari, qu'ils s'habilleraient à *l'européenne,* c'est-à-dire, elle en bigoudène et lui en kilt, à moins qu'ils ne choisissent la tenue européo-bavaroise. Évidemment, elle voulait que je m'habille en boubou, cet habit tiré du modèle arabo-islamique que l'on rencontre chez les musulmans africains et, par extension, dans une partie de l'Afrique de l'Ouest et que les chrétiens de l'Afrique équatoriale ne portent pas dans leur pays.

Et que nous ne portons pas chez nous. La Bourgogne, bien évidemment !

IV- Je suis noir et je suis cadre

« Alors, mon brave, dit un ministre français à un émigré, convalescent dans un hôpital de Bamako qu'il visite, toi content repartir France regagner sous! Toi faire quoi en France.
- Je suis professeur de français à la Sorbonne, Monsieur le Ministre. »

Je suis Noir et je suis cadre *mais ne le dites pas à mon voisin, il me croit éboueur.*

Je n'ai jamais été rien d'autre, n'en déplaise aux autochtones. Et aux Noirs d'ailleurs. Il est incroyable de constater combien l'inconscient collectif des Noirs et des Blancs a intégré l'inaliénable position professionnelle subalterne des Noirs. Le mythe de l'éboueur est tenace. Et ceci aussi bien dans les pays francophones d'Afrique qu'en France. Si un Noir va en Afrique avec un ou plusieurs Blancs, il sera perçu partout comme leur subalterne.

73

Je suis allé passer des vacances avec deux collègues blancs dans un pays d'Afrique que je connaissais bien ; et pour cause ! Nous travaillions tous les trois dans une importante collectivité locale de la région parisienne. L'un de mes collègues était cadre, l'autre plus jeune, était un dessinateur affecté à nos deux services. Pendant ce voyage, nous avons visité les sites touristiques et nous sommes arrivés dans un sultanat, très haut lieu historique.

Grâce à mes relations locales, nous avions obtenu d'être reçus en audience par le sultan, une sorte de souverain régional. Celui-ci nous a donné l'autorisation de visiter le musée privé du palais. L'on nous a adjoint une manière de conservateur qui n'a pas cessé pendant toute la visite, de se curer le nez avec l'ongle de l'auriculaire gauche et de se gratter les fesses avec l'index droit, mouvement synchronisé et répétitif qui avait le don de m'agacer au plus haut point. Et encore, s'il s'était arrêté à ces indélicatesses ! Monsieur s'est mis à me traiter de bien haut.

Je lui posais des questions afin que ses explications, que je connaissais – j'avais appris tout ce qu'il racontait aux cours d'Histoire à l'école et au collège – et qu'il nous donnerait, puissent éclairer mes amis. Et mes interventions avaient l'air de lui déplaire énormément. Il me répondait en me tutoyant et en me posant des questions agacées, dans le style typique des gens du pays. « Toi aussi, est-ce que tu ne sais pas que… » Ainsi commençaient toutes ses réponses à mes demandes. Par la suite, il ne prit même plus la peine de me répondre, se contentant de me décocher des regards assassins. Ça commençait vraiment à bien faire. Je l'aurais tué, l'animal ! N'en pouvant plus de ses impolitesses, je lui ai dit qu'il était grand temps qu'il changeât de ton, que sinon j'en référerais à mon ami. J'ai cité le nom de la personne qui nous avait recommandés au sultan, tout le monde le connaissait car c'était une haute personnalité du pays. Cette menace n'a pas eu l'air de l'émouvoir. Il devait se dire qu'un plouc comme moi ne pouvait pas être proche d'un tel homme. J'ai donc poursuivi : s'il ne s'était agi que de moi, ses explications approximatives, je m'en serais passé, mais je lui posais ces questions pour que mes amis que j'avais amenés de France, puissent comprendre l'histoire du sultanat.

Quand l'idiot famélique sut que je venais aussi de France, il se métamorphosa. Et avec un sourire édenté, il dit : « Ah ! Vous aussi vous êtes en France ! » C'était une exclamation émerveillée et non une question. Le pauvre homme pensait que j'étais un guide que des touristes avaient ramassé sur la place du marché, et qui essayait de jouer les intéressants pour mériter un bon pourboire, récompense qu'il convoitait. Aussi s'était-il mis en tête que, si j'étais très performant, j'aurais une meilleure gratification. Il devait donc m'abattre. Sachant désormais que je venais de France, que je vivais en France *avec et comme* les Blancs, il me voyait tout autrement.

Une autre fois, je dirigeais une délégation d'acteurs de la santé et du social. Nous allions en Afrique pour une visite d'immersion des migrants dans un pays d'origine, selon l'expression d'alors.

Pendant trois mois, à raison d'une réunion hebdomadaire de deux heures, j'ai expliqué à mes futurs compagnons de voyage les spécificités du pays que nous devions visiter. Je leur ai expliqué en long en large et en travers la faune très variée, la flore luxuriante, la pluviométrie exceptionnelle, la géographie riche, l'histoire riche aussi, la sociologie plutôt désordonnée, l'urbanisme bringuebalant, et que sais-je encore. À ce niveau du récit, je ne pus m'empêcher de relater une anecdote très édifiante. J'ai expliqué que la ville où nous allions atterrir connaissait l'une des plus fortes pluviométries du monde, que l'air y avait le taux d'humidité le plus important de la planète, avec l'Asie des moussons, que le sol était d'une exceptionnelle fertilité, que la végétation était envahissante, omniprésente.

Le groupe comptait une jeune femme, 25 ans à tout casser, guillerette assistante sociale. Ce n'était donc pas à première vue, un de ces croûtons à l'esprit ratatiné, à l'intelligence rabougrie par ses plates certitudes, vestiges encombrants de l'expérience coloniale, personne imbue d'a priori et de la congénitale supériorité de la race blanche, gavée d'images de *Tintin au Congo*. C'était une nana on ne peut plus moderne, élevée dans une France où la multiracialité était omniprésente quoique encore méconnue; une France à qui les médias permettaient d'avoir une image assez précise de la géographie des pays étrangers; une fille dont je pensais qu'elle avait assez d'ouverture d'esprit pour écouter mes laïus hebdomadaires sans idées préconçues et indéboulonnables.

Parvenus à destination, nous avons été conduits à notre premier point de chute, à environ 250 kilomètres de la ville de l'aéroport d'arrivée. J'ai réuni tout mon petit monde pour récolter à chaud, les premières impressions. Quelle n'a pas été mon étonnement d'apprendre de cette jeune femme que, ce qui l'avait surprise, c'était de voir de la végétation autour de l'aéroport. J'ai alors compris que la seule image de l'Afrique que son cerveau conditionné acceptait d'enregistrer, était celle d'un immense Sahel, dont les populations rachitiques de malnutrition chronique, à cause de la sécheresse qui dévastait les récoltes, étaient décimées par les pandémies : image d'Épinal de la télé française sur l'Afrique.

À propos d'images télévisées, j'en profite pour dire que j'ai toujours été étonné de voir que, même quand on parle d'un coup d'État à Abidjan, ville africaine assez moderne, les reportages de la télévision française ne montrent pas les palais présidentiels où se jouent les drames. Ils filment les quartiers pauvres, les marchés folkloriques et une foule exotique en diable. C'est comme si le jour de la mort du général de Gaulle ou du président Mitterrand, on avait présenté à la télévision ivoirienne, pour illustrer la France, le marché de Château-Rouge avec ses dealers, ses produits tropicaux et sa crasse ; le métro Barbès avec ses vendeurs à la sauvette ; ou une sortie de classes basanée et crépue aux Minguettes ; ou un innommable bidonville harki ; ou la sieste estivale des vieux Maghrébins du foyer Sonacotra des Tartetêts, assoupis sous les arbres environnants.

Avant le voyage, j'avais aussi dit à mes compagnons que, pour tout le monde dans le pays que nous allions visiter, je ne pourrai être que leur chauffeur. Horreur! Orage! Outrage! Ô rage! Ils ne pouvaient tout simplement pas me croire. Le grand sociodémographe, le sorcier des chiffres, le directeur de l'Observatoire urbain. Cette fois, ils me prenaient en flagrantissime délit d'exagération caractérisée. Après une semaine de séjour, voyant que personne ne m'avait traité jusque-là de chauffeur, ils ont commencé à me taquiner en m'interpellant : « *Alors, comment ça va, Monsieur le chauffeur ?* »

L'antépénultième jour de notre voyage, nous sommes arrivés à la ville capitale après un pénible périple dans l'arrière-pays. Les membres de la délégation sont entrés dans le salon de la famille qui avait organisé notre accueil. C'était un couple mixte, un Noir et une Blanche. Je suis resté à l'extérieur pour régler les dernières formalités avec le personnel de l'équipe qui nous avait transportés. Quand ils sont partis, j'ai rejoint le groupe au salon. Mes compagnons s'entretenaient avec un Blanc installé localement, qui était venu rendre visite au couple. L'homme leur expliquait, à sa manière, folklorique et colorée en diable, les us et coutumes du pays. Il ne leur racontait que des inepties, convaincu comme beaucoup d'observateurs que l'on ne peut être crédible devant un auditoire européen que si on lui présente l'Afrique comme une enclave rescapée de l'ère située juste avant l'apparition de l'homme du Cro-Magnon. Je n'avais d'autre choix que de me mêler à la discussion pour sauver le pays du triple salto arrière existentiel qu'on lui voulait faire exécuter, du style *Les visiteurs* à l'envers, ou *Retour vers le passé*. À un moment donné, je suis donc intervenu pour rectifier une de ses multiples affirmations erronées. Alors, tournant des yeux surpris vers moi, et sans daigner tenir compte de ma remarque, il a demandé avec un clin d'œil complice à la blanche assistance : « C'est votre chauffeur ? »

En France, les réjouissances sur le déterminisme professionnel des Noirs ne sont pas moins édifiantes. Et le coup d'envoi est donné par les Noirs eux-mêmes. Je n'oublierai jamais le conseil plein de sagesse qu'un « grand frère » m'a donné quand je suis venu faire mes études en région parisienne. À mon arrivée, il m'a invité pour manger du lapin à la moutarde. Chacun de ses actes était calculé et ce lapin à la moutarde n'était pas dû au hasard. Il s'agissait de me démontrer à quel point il mangeait comme un Blanc, et accessoirement, de me faire monter la moutarde au nez. Il s'agissait aussi de faire étalage devant mes yeux d'étudiant à peine débarqué, de sa belle réussite qui défrayait la chronique de son quartier d'origine : grand et superbe appartement (HLM aux Flanades à Sarcelles bien sûr), beau mobilier (estampillé 100 % Conforama, déménagement vivement déconseillé), enfants à l'accent du plus pur titi parisien. Entre deux banalités plus insipides l'une que l'autre, il m'a tenu à peu près ce langage : « Petit frère, vous qui venez avec vos petites idées d'étudiants, il faut que je te dise tout de suite, qu'un Noir ne travaille pas dans un bureau en France. Après tes études, tu rentres au pays pour travailler pour deux sous dans un ministère et vivre de corruption, ou bien tu acceptes de travailler ici dans le gardiennage comme tout le monde, pour un bon salaire [le SMIC bien sûr]. »

Il paraît donc inimaginable qu'un Noir puisse occuper un bon poste de travail en France. Pourtant, si l'on en croit les statistiques du recensement général de la population de 1990, après la communauté du Sud-Est asiatique et tous ses N'guyen médecins ou pharmaciens, de tous les étrangers, les Noirs-Africains sont ceux qui ont le taux le plus élevé de cadres et professions intellectuelles. Et je ne parle pas des diplômés, de tous ces docteurs ou troisièmes cycles de sociologie ou d'histoire et géographie qui, pour les hommes, font du gardiennage, qui, pour les femmes, se sont reconvertis en aides-soignantes. Pour faire la part des choses, il faut dire que c'est chez les Noirs que l'on trouve aussi les taux les plus élevés d'emplois subalternes, d'ouvriers spécialisés.

Il n'y a pas si longtemps, et cette époque n'est pas complètement révolue, les Noirs eux-mêmes étaient tellement

convaincus de l'improbabilité d'occuper des postes correspondant à leurs qualifications universitaires, que tous ceux
qui avaient réussi à trouver un boulot de cadre supérieur
étaient suspects d'homosexualité (ils joueraient le rôle de la
femme, la pire des choses dans ce milieu machiste) ou de
franc-maçonnerie (ce qui n'est guère mieux). Que le plaisir
me soit donné ici de rendre hommage à Hervé, jeune et
talentueux financier camerounais dont le succès certes
démonstratif, il faut le reconnaître, a suscité tellement de
jalousies (mais aussi une bonne dose de parasitisme) que j'ai
craint un instant qu'on le maraboute. Il a été traité de tout en
son absence. Acclamé en sa présence.

Aujourd'hui, la sédentarisation et le changement de
génération ont amélioré les ambitions de cette population
qui croit de plus en plus à ses chances de créer une classe
moyenne noire-africaine, faite de professions libérales, de
professeurs, d'assistantes sociales, de créateurs d'entreprises, d'infirmières… Mais du côté du Blanc, l'évolution des
mentalités est très lente.

La France a pratiqué le choix des migrations de main-
d'œuvre le plus ségrégatif que l'on ait connu en Occident
depuis la traite des Nègres. Il s'agit en effet de cette importation de main-d'œuvre devant réaliser le travail *que les
autochtones ne veulent pas faire.* Et dans l'échelle des emplois
subalternes, le Noir-Africain occupe sans conteste la dernière
place sur la voirie, après le Maghrébin des chaînes de montage automobile et des mines, et le petit fonctionnaire hospitalier ou postal antillais du BUMIDOM. Une telle hérédité,
après l'esclavage et la colonisation, ça laisse des traces profondes, sinon indélébiles, dans les esprits.

Je suis allé un jour faire les formalités administratives à
la sortie de mon fils qui avait été hospitalisé pour je ne sais
plus quelle maladie infantile. La dame préposée au recueil
des informations a relevé mon identité, puis elle m'a
demandé ma profession. Je lui ai dit que j'étais urbaniste.
Elle ignorait ce qu'était un urbaniste. C'était normal; à voir
sa petite tête, on comprenait que les Blancs n'auraient pas

découvert le cerceau grâce à elle. Je prends tout le temps qu'il faut pour lui expliquer que « j'étais cadre [j'ai prononcé le mot, je vous jure], directeur de l'Observatoire urbain ». La dame a pianoté sur le clavier de son ordinateur, a tiré une fiche, l'a lue et me l'a tendue. J'ai alors découvert que j'étais *ouvrier spécialisé*. Après une ou deux remarques acerbes où je lui signifiais que je me foutais de ses problèmes existentiels, mais qu'elle n'avait pas le droit de fausser les statistiques, je m'en suis allé, rêvant du jour où Noir ne serait plus synonyme de subalterne né.

On se dira que la pauvre dame, subalterne elle-même, n'accepte pas l'idée d'un Noir sortant du classicisme ambiant. Je répondrai que l'on a certainement raison si je n'avais dans ma réserve, une foultitude d'exemples qui tendent à démontrer que cette attitude est assez généralisée dans les mentalités blanches, sans distinction de classes sociales.

Toujours dans le cadre de mes fonctions, je suis allé un jour visiter une épicerie sociale en compagnie d'une bonne quinzaine de collègues cadres et d'élus locaux. Nous réfléchissions à la mise en place de cet équipement sur notre commune. L'épicerie sociale est comme une espèce de Resto du Cœur à l'année, avec modique participation financière des bénéficiaires, soit 10 % de la valeur réelle des marchandises. Les familles nécessiteuses reçoivent des bons de la part des travailleurs sociaux. Ces bons leur permettent d'acquérir les produits de première nécessité – denrées alimentaires, lessive, produits de toilette, liquide vaisselle et autres produits d'entretien.

Après la visite de diverses installations de la ville qui nous accueillait, nous nous sommes dirigés vers une salle de réunion pour recueillir des explications sur le montage du dossier et le fonctionnement de la structure. La salle de réunion était attenante à l'épicerie. Nous devions donc passer devant celle-ci. Le gérant du jour – ce sont des bénévoles qui se relaient à ce poste – était un sexagénaire de très belle allure. L'homme n'était visiblement pas le plouc franchouillard et inculte du sérail. Il n'était pas non plus une de ces dames patronnesses férues d'humanisme ostentatoire, empreintes de cette tristesse indélébile à force de froncer le front alourdi par la misère du monde qu'elles seraient seules à porter, expliquant au tout-venant leurs hauts faits de générosité envers les pôôôvres et les hommes de couleurs.

L'homme, je l'ai dit, avait fière allure, certainement ancien cadre ou profession intellectuelle. Il était généreux, puisqu'il donnait de son temps dans des œuvres caritatives. Il était courtois et avait le souci d'aider ses frères, humains. Jugez-en vous-mêmes. En nou voyant passer devant son épicerie, il en est sorti en toute hâte et nous a hélés.

« Monsieur, Monsieur, s'il vous plaît… »

Des messieurs, il y en avait une bonne dizaine, dont votre humble serviteur. Nous nous sommes tous retournés. Alors, pointant le doigt vers moi, avec un sourire rassurant, l'homme à l'allure d'hidalgo castillan a dit :

« Monsieur, *vous*, c'est par ici. »

Il ne pouvait quand même pas s'imaginer que je puisse venir en ces lieux pour autre chose que recueillir de l'aide sociale.

J'ai très vite compris, et je l'ai souvent dit à mes présidents et à mes supérieurs, que ma présence dans nos effectifs ne rendait pas toujours service à notre société. Non que je n'eusse pas accompli mon travail comme mes collègues ! Même aujourd'hui, de nombreuses années après mon départ, si vous parlez de l'Observatoire urbain, tout le monde se souviendra de moi et de la pertinence de mes analyses sociodémographiques.

Cependant, dans cette infériorisation ambiante, j'ai rencontré des hommes et des femmes de grande valeur, comme Marcel, ce directeur qui, non content d'avoir eu le courage de m'offrir ma chance, m'a convoqué un jour dans son bureau et m'a dit sans baisser la tête, en me regardant droit dans les yeux : « Il n'y a pas de raison que tu sois moins bien payé que tes collègues de même grade. »

Que de fois, quand je me suis présenté comme directeur de l'Observatoire, que de fois l'on m'a demandé de quoi s'occupait cette *association*. Évidemment, quand on lisait ma signature au bas de la couverture des publications de l'Observatoire, on pouvait difficilement s'imaginer que je n'étais pas un Alsacien bon teint. Je ne suis pas alsacien mais bourguignon et cette confusion à cause de mon nom m'exaspère.

Ah, mon nom! Que de fois mon nom a abusé les gens! Comme cette organisation juive qui m'a écrit un jour, en m'adressant un chaleureux et fraternel *chalom* (merci!) et en me demandant de participer aux œuvres d'une association qui s'occupait des orphelins de guerre en Israël. Ou encore ces pauvres diables, responsables d'une boutique de prêt-à-porter du centre commercial voisin, à qui ma fille (14 ans) avait demandé un stage d'une semaine dans le cadre se sa classe de troisième et de l'initiation au milieu professionnel. Au téléphone, la dame lui a demandé son nom, lui a dit qu'elle pouvait venir immédiatement. Ma fille se présente alors à la boutique, dit qu'elle vient pour le stage. Miracle! Il était pris. Ma fille a voulu savoir qui était l'heureuse élue: « Frida Kelman », lui a-t-on répondu. J'ai vérifié. Cette année-là et même les années suivantes, il n'y a jamais eu d'autre Frida Kelman que ma fille. Mais le stage était quand même bel et bien pris. Les pauvres avaient été abusés par l'accent et le nom, et s'attendaient à voir une blonde créature de l'est de la France ou d'ascendants germaniques. Je continue à vous rappeler que je suis bourguignon, pas teuton.

Il y en a un autre qui s'est bien fait avoir. Celui-là, je ne l'oublierai jamais, même si lui me fait l'affront d'oublier notre contact si édifiant pour lui. Quand j'ai pris mes fonctions dans les années 1980, ma première mission a été de faire l'analyse sociodémographique d'un quartier d'habitat assez mixte aussi bien dans le type d'occupation – propriétaires, locataires, social, privé – que dans le type du bâti – individuel, collectif. Les élus constataient avec inquiétude que les relations de voisinage, notamment entre les différents groupes socioculturels et ethniques en présence

– essentiellement les Noirs et les Blancs – se dégradaient très rapidement.

Au cours de cette étude, j'ai rencontré des hommes ressources du quartier, élus, travailleurs sociaux, enseignants. De recommandation en recommandation, j'ai atterri chez un responsable de copropriété. En fait, on lui avait dit que Gaston Kelman, chargé d'études, faisait une enquête sociodémographique sur le quartier. Et qu'il pouvait être utile à Gaston Kelman. Mais personne n'a eu la présence d'esprit de l'informer que derrière le Bourguignon Gaston Kelman, se cachait en fait un Noir. Erreur fatale.

Le brave homme m'a appelé un jour, sabre au clair, prêt à partir en croisade, à pourfendre du néo-sarazin. Il avait le verbe plus haut que celui du Cid et plus meurtrier que la Durandal de Roland.

« Monsieur, notre copropriété n'aurait aucun problème s'il n y avait pas tous ces Noirs qui ne savent pas qu'ils sont en France. »

Textuel !

Et il a poursuivi ainsi, pendant plus de trente minutes. Je sais que mon accent n'est pas aussi couleur locale que celui de ma fille. Je suis bourguignon et non francilien. Vous comprenez ! Alors je me suis bien gardé de former des phrases, me contentant de pousser des oh ! et des ah ! bien anonymes et tout aussi incolores. Le brave homme n'en demandait pas mieux. Il avait le crachoir à lui tout seul et pouvait dégoiser tout son fiel sur les Noirs. Et pour que son bonheur soit total, à l'autre bout du fil, un spécialiste forcément blanc, l'écoutait sans l'interrompre. À la fin de sa catilinaire *contra negribus*, il m'a promis qu'il m'apporterait sous 48 heures, un rapport écrit sur ce qu'il m'avait rapporté oralement. J'ai dit merci. Il a répondu : « Pas de quoi, c'est bien la moindre des choses. » En plus, il écoutait Piaf ! C'est ma préférée ! On était vraiment faits pour s'entendre.

Deux jours plus tard, précis comme pas deux, Monsieur s'est présenté à mon bureau. Afin que rien ne manquât à sa méprise, depuis quelques jours, un Blanc de passage avait squattérisé mon bureau. Quand notre homme est entré, sans un regard pour moi, il s'est tourné vers mon squatter en lui tendant la main :

« Bonjour, Monsieur Kelman.

— Monsieur Kelman », c'est lui, s'est-il entendu répondre.

Et le seul *lui* possible en ces lieux, c'était moi !

Son rapport à la main, il m'a regardé comme s'il était en plein cauchemar. Il a ouvert la bouche. À dû s'exprimer en ultrasons, car je n'ai rien entendu. Il m'a tendu son papier, est sorti de mon bureau à reculons comme s'il craignait que je lui saute dessus. Nous ne nous sommes pas adressé un mot.

À tout seigneur devant aller tout honneur, réservons une bonne place à ceux-là qui guident nos destinées, je veux parler des hommes politiques. Un jour, je n'ai plus été cadre en activité, parce que j'étais tombé au champ d'honneur d'une campagne électorale. La collectivité pour laquelle je travaillais ayant changé de couleur, on m'a signifié que mon engagement en faveur des adversaires de la nouvelle équipe n'autorisait pas que l'on me gardât à mon poste qui était assez stratégique. Ce discours bien franc s'est accompagné d'un ou deux coups bas qui eux, étaient loin d'être francs. Alors, il m'a fallu retourner sur le dur marché du travail. J'ai rencontré trois types de réactions que je vous livre ici avec un rictus d'amertume mais aussi une lueur d'espoir. Les trois réactions sont les suivantes : réaction commune de Noir ; réaction ordinaire de Blanc ; réaction exceptionnelle
La situation est grave, mais pas désespérée.

Réaction commune de Noir
Sidney Poitier, le héros de *Devine qui vient dîner* (1967) – je n'imagine pas qu'il existe des gens qui n'ont pas vu ce classique de la lutte contre le racisme – disait : « Je me refuse à jouer les rôles de subalternes réservés aux Noirs. » En effet, il a été le tout premier à sortir du ghetto des rôles de servi-teur soumis et tout dévoué à ses maîtres ; à refuser les rôles

de nègre lippu du style *Le clan des Macmasters*, accusé à tort, fuyant la servitude et l'arbitraire, le regard hagard de peur bestiale, poursuivi par une meute d'hommes blancs et de chiens blancs – ces fameux chiens américains dont parle Romain Gary, dressés à ne broyer que du Noir. Poitier a été le premier à mépriser les rôles de Nègre hilare, danseur grotesque, cannibale de foire roulant les prunelles d'ivoire pour le frisson des petites têtes blondes.

Parodiant Sidney Poitier, j'ai toujours dit que, comme j'avais eu le grand bonheur de goûter aux fonctions correspondant à mes réels moyens, je ne ferais jamais des boulots à Nègre, des boulots alimentaires. Mes frères noirs m'ont toujours mis en garde contre des affirmations aussi péremptoires. Un Noir en France, ça travaille pour vivre ; ça fait ce que ça trouve, ça ne choisit pas. Si l'on a eu la chance un jour d'occuper un poste intéressant, il ne faut ni pavoiser, ni croire que c'est un acquis. En matière d'emploi, rien ne serait donc jamais acquis au Noir en France, même pas son savoir et son savoir-faire, éléments que les premiers à lui contester sont d'ailleurs ses frères. Le succès des uns jette de l'ombre sur ceux qui ont accepté n'importe quoi, parce qu'on peut toujours leur opposer la bonne fortune des autres pour leur dire qu'il n'y a pas de ségrégation à l'embauche – je l'ai entendu dire par une directrice d'ANPE – et qu'ils n'ont tout simplement pas fait ce qu'il fallait.

Quand je me suis donc retrouvé sur le marché de l'emploi, un camarade noir qui, comme moi, avait été très actif pendant les campagnes, m'a dit qu'il avait de bons contacts avec certains élus de notre bord ayant conservé leurs sièges et qu'il allait m'aider à trouver du travail. Quelques jours après, mon camarade et frère est venu me voir. Il était heureux comme un gagnant de cagnotte et fier comme Chacka. Il venait tout simplement de me décrocher l'emploi de rêve, avec des avantages énormes. J'allais être gardien (pas de buts) d'un petit stade communal de football. J'allais bénéficier d'un logement de fonction – une loge en fait – et si je voulais, je pouvais même m'occuper de l'entretien du matériel, ce qui allait améliorer mon SMIC. Mon camarade et toujours frère n'a pas compris que je ne lui saute pas au cou de gratitude. Que je n'accepte pas, après avoir été directeur d'un grand équipement municipal – et le plus drôle c'est que je m'étais chargé de l'embauche du gardien noir, et mis à sa disposition un deux-pièces de fonction, équipé –, je ne puisse pas être fou de joie à l'idée de devenir gardien d'un petit équipement municipal qui, en vérité, n'avait nullement besoin d'être gardé. Sauf à dérober la pelouse ou les poteaux des buts, je ne vois pas ce qu'on serait venu y voler. En effet, il ne s'agissait même pas du Parc des Princes, ni du stade Robert-Bobin de Bondoufle, ni d'un stade d'un club de ligue II, mais d'un minuscule stade municipal d'amateurs, et le job que le frangin-camarade me proposait consistait en fait à ouvrir et à fermer les portes du stade les jours de match et à nettoyer les vestiaires sentant la crasse de mâle chaud, après le passage des joueurs. Aujourd'hui, j'ai perdu un frère qui n'accepte pas que « l'on pète plus haut que son cul » (vous me pardonnerez, mais l'expression est de lui), que l'on refuse un emploi aussi intéressant pour vivre des Assedic (la remarque est toujours de lui).

Réaction ordinaire de Blanc

J'ai poursuivi mes recherches. J'espérais ne plus avoir à mécontenter un frère ou un camarade à cause de mes ambitions jugées démesurées. Je suis donc allé voir un camarade, un grand camarade, un très grand camarade, président d'une collectivité très importante, qui employait des centaines – peut-être plus d'un millier – d'agents. J'avais organisé des réunions d'appartement et des meetings pour sa campagne et nous étions à tu et à toi, sans toutefois être intimes comme Dupond et Dupont. Il savait ce que j'avais fait sur la ville. Il était au courant de mon engagement politique et associatif.

L'accueil a été très cordial. Il m'a demandé des nouvelles de ma compagne, de mes enfants, de mes parents. J'ai cru qu'il allait se convertir aux interminables salamalecs islamo-soninkés. Parce que c'était inévitable, nous sommes ensuite passés au sujet de la rencontre. Il a regretté qu'il ne puisse rien faire pour moi. Mais surtout, regrets infinis, il s'en voulait de ne pas avoir pensé à moi un peu plus tôt, quand il définissait le budget des *adultes relais*, parce que là, j'aurais eu une chance.

J'ai d'abord cru que le grand homme me faisait une blague pour détendre l'atmosphère alourdie par mes déjà quatre mois de chômage. Mais il avait bien son visage lisse de tous les jours. Moi, j'ai esquissé un sourire pour voir s'il allait me suivre. Il ne l'a pas fait. Il a conservé l'air contrit de celui qui vient de perdre l'occasion d'être utile à un camarade.

Adulte relais. Il faut que je vous explique ce qu'est qu'un adulte relais. C'est un peu l'équivalent d'agent d'ambiance, en plus adulte : plus de 35 ans, en plus ou moins instruit : on y trouve beaucoup de femmes qui sortent des cycles d'alphabétisation ; chômeur, si possible de longue durée, c'est un plus. On peut leur confier beaucoup de missions : faire traverser la chaussée aux enfants des écoles, faire de la médiation interculturelle entre les familles immigrées et les institutions, assurer divers types d'accompagnement. Adulte relais, voilà ce que m'a proposé ce camarade blanc qui était entièrement au courant de mon passé professionnel et de mes capacités. Je lui ai répondu : « Camarade, c'est bien moi qui ai été directeur de l'Observatoire urbain. Mais je te remercie quand même. »

Les élus ne sont pas les seuls à considérer les Noirs comme des subalternes nés. J'ai travaillé comme responsable d'insertion professionnelle au sein de France Terre d'Asile. Un jour, nous avons accueilli une dame qui avait occupé d'éminentes fonctions dans son pays d'origine. Ensuite, elle avait été nommée ambassadrice de son pays au sein d'un grand organisme international de Paris. Elle justifiait de très hauts diplômes en droit international et d'une très longue expérience dans la gestion des affaires internationales. En outre, c'était une plantureuse veuve, la proche cinquantaine, vêtue de dignité paisible et de mousseline noire. À la suite d'un des innombrables coups d'État dont l'Afrique et son pays en particulier ont le secret, la dame s'est retrouvée coincée à Paris où elle n'exerçait plus au sein de l'organisme international et acculée à demander le droit d'asile qui lui a d'ailleurs été accordé très rapidement.

Comme il est demandé à tous les réfugiés, cette dame est venue frapper à la porte de nos bureaux d'aide à l'insertion professionnelle des réfugiés. Elle a été reçue par les conseillers à l'insertion qui ont entrepris de l'aider. Un jour, j'assistais à une réunion de groupe, et quelle n'a pas été ma surprise d'entendre une conseillère lui demander si elle pouvait accepter une formation de caissière de supermarché. Madame l'ambassadeur s'est contentée de sourire. Elle était divine de compréhension et de miséricorde.

Un autre jour, je discutais avec une jeune femme dynamique et toute dévouée à l'intégration à travers l'association qu'elle a créée. Je lui ai dit que l'on avait dû lui demander une bonne centaine de fois si elle savait lire et écrire. Elle m'a avoué qu'elle ne s'en était jamais aperçue. *Le lendemain,* elle m'appelait en catastrophe. Elle sortait d'un rendez-vous avec le médecin scolaire pour une vague formalité au sujet d'un de ses enfants. La dame lui avait demandé si elle voulait *qu'elle l'aide à remplir son chèque.* Qui oserait faire cette proposition généreuse à une jeune femme blanche, la trentaine coquette, vêtue d'un tailleur et dont le mari – la fiche d'information qu'elle avait remplie le mentionnait – est professeur certifié ?

Réaction exceptionnelle

Heureusement, j'ai rencontré d'autres hommes politiques. L'un d'eux m'a réconcilié avec l'idée que je me suis faite de cette catégorie par rapport à la place qu'ils donnent aux Noirs dans l'espace d'encadrement. Je me souviens de cette conférence d'un parti de gauche où il était justement question de la place que l'entreprise privée réserve aux jeunes diplômés issus de l'immigration. Un élu a eu le courage de rappeler à ses pairs qu'ils étaient bien culottés de fustiger les comportements discriminatoires des chefs d'entreprises. Il leur a demandé combien il y avait de Noirs dans les sphères d'encadrement du parti. Et là, il y a eu un blanc.

Un autre élu m'a réconcilié avec sa tribu parce qu'il m'a fait comprendre que la situation était grave, mais pas désespérée ; parce que sa franchise, chose rare en politique, m'a fait du bien ; parce que j'ai compris que certains élus, certes une infime minorité, reconnaissaient la ségrégation dans le domaine de l'emploi, en ressentaient une certaine honte – la honte étant le premier pas du processus révolutionnaire – et acceptaient de le dire.

Ce jeune élu qui a le vent en poupe – j'ai parlé de lui plus haut – vient de réussir un difficile parachutage et de conquérir une mairie, après une rude bataille où les coups balancés par les amis d'hier sont au moins aussi rudes et meurtriers que ceux des adversaires. Il est en train de constituer son équipe d'encadrement et je le sollicite pour lui proposer mes services. Il me reçoit et me dit qu'un coup de fil de nos amis communs m'a précédé. On me recommandait à lui avec le conseil appuyé de ne pas m'embaucher. Mais il m'a affirmé qu'il passait outre parce que, à côté de cet amical conseil – mon Dieu, préserve-moi de mes amis... –, il y avait une foule de Noirs et de Blancs qui chantait mes louanges. Il m'a proposé deux ou trois postes, me laissant libre de faire mon choix.

Ensuite, nous avons parlé de beaucoup de choses, de la situation sociale en France, des progrès de l'intégration et de la citoyenneté des personnes issues de l'immigration, du regard que la France pose sur cette population. C'est alors qu'il m'a dit ceci, qui l'a à jamais grandi à mes yeux : « Je reconnais qu'il y a encore beaucoup de travail à faire. Mon cabinet est l'un des plus arc-en-ciel de France, mais j'avoue que quand je dois embaucher un gardien ou un agent d'ambiance, je pense au Noir. Par contre, quand je cherche un cadre, je ne pense pas encore au Noir. »

Je n'ai pas été embauché. Je devais apprendre plus tard que mes amis politiques avaient su lui présenter des arguments imparables en cette rude période de préparation des législatives auxquelles se présentait le jeune édile. J'ai la conviction profonde que l'acharnement aurait été moins suivi si j'avais été vigile ou éboueur.

Je ne lui en ai pas voulu. Bien au contraire ! Il m'a donné l'occasion de tomber à cause d'une intrigue politique qui n'épargne ni Noir ni Blanc. Il ne m'a pas traité comme un Nègre de service. J'en ai ressenti une grande jouissance.

Que voulez-vous ! En attendant le grand soir de l'égalité triomphante, en ces petits matins de comportements primaires, on se satisfait comme on peut...

V- JE SUIS NOIR ET MA FILLE EST MARRON...

Un couple d'Africains trouve une lotion blan-
chissante. Ils se précipitent dans la salle de
bain pour l'essayer et deviennent ainsi
blancs. Ils appellent ensuite leur fils de sept
ans pour lui appliquer la lotion. Mais
Hamadou refuse net de passer au lavage,
les prières, les menaces, le chantage n'y
font rien. Le père se tourne alors vers sa
femme et dit:

« Tu te rends compte ? ça ne fait pas cinq
minutes qu'on est blanc et il y a déjà un
Noir pour nous emmerder ! »

Ma fille est marron malgré elle parce qu'elle n'a pas le
choix; malgré moi parce que je n'y suis pour rien, parce que
je ne pouvais pas le prévoir; malgré sa mère, parce qu'elle ne

m'a pas trompé avec un extraterrestre. Cependant, je crois que marron, c'est mieux que *blackette*.

La marronnité des filles correspond à la blackitude des garçons. Mais entre les deux, la seule similitude, c'est la couleur, comme le Canada Dry et le whisky. Cependant, certains observateurs croient voir apparaître une race black au féminin, des filles qui se regroupent sur la base de la couleur et du quartier de résidence et qui montent des bandes agressives.

Toutefois, de manière générale, autant la marronnité est active, combattante, réfléchie, positivante, autant la blackitude dont nous parlerons plus loin, est passive, subie, réactive, destructrice, bien malgré elle, bien sûr.

Un jour, ma fille de quatre ans rentre de l'école maternelle. Je me rends tout de suite compte qu'elle a du souci. Une fille de quatre ans qui a du souci, ce n'est pas difficile à savoir, surtout pour un père. Par exemple, en ce qui concerne la mienne, elle adore les cookies comme tous les enfants de France, parce que ces petits gâteaux au chocolat, au goût plutôt amer d'ailleurs, ont le mérite de venir des États-Unis comme le Coca Cola, le KFC ou le hamburger, autres délices pour gastronomes en culottes courtes. Sa mère lui en a donné pour son goûter, mais elle n'y touche pas. Bizarre, bizarre ! La veille, elle hurlait comme une écorchée parce qu'on ne lui en avait pas donné assez. Bon ! Il faut faire quelque chose. Mon héritière est en danger. Je lui pose la question :

« Maman [je l'appelle tout le temps maman] tu es sûre que ça va ? »

D'abord, elle ne dit rien. Puis, quelques instants après, elle pose sur moi un regard qui se veut perçant comme celui que l'on pose, pour l'impressionner, sur un enfant qu'on croit coupable ou qui a dit une bêtise. Et elle me lance à son tour une question. Et quelle question !

« Papa est-ce que je suis noire ? »

Ça fait déjà quelques années que je m'intéresse aux problématiques liées aux migrations de l'Afrique noire vers la France. J'ai eu à aborder des tas de thème, à répondre à des questions bien insolites. Une gamine m'a demandé un jour si nous vivions vraiment dans les arbres comme le prétendait son père (qui était d'ailleurs présent), et si nous nous promenions nus en Afrique, toujours comme l'affirmait son père. Une autre voulait savoir comment j'étais arrivé en France. Je lui ai répondu en blaguant que j'étais venu à la nage. Le lendemain, quand elle m'a revu, elle a annoncé avec fierté à ses parents que le papa de sa copine – votre serviteur – étais un grand nageur. Je nage très bien, mais là, la copine de ma fille avait un peu exagéré.

J'ai eu à répondre à des questions plus insolites les unes que les autres et qui ne venaient pas toujours de gamines naïves et fourvoyées par le zèle débridé des adultes téléphages. Mais je n'avais pas encore été confronté aux angoisses existentielles d'une mélanoderme de quatre ans qui s'interroge pour savoir si elle est vraiment noire. Pourtant, il faut que je trouve une réponse, et tout de suite. Il ne s'agit point d'un devoir de sociologie. Il s'agit de la sérénité de ma fille – qui plus est, unique au moment des faits.

Je suis un Noir, un Noir plutôt noir, enfin, presque. D'autres font mieux que moi. Ma femme est une Noire, plutôt de cette teinte orangée que l'on trouve chez certaines personnes néanmoins qualifiées de noires. L'union de deux personnes de notre espèce produit généralement des enfants eux aussi qualifiés de noirs. D'ailleurs, en Europe même les métis sont des Noirs, alors qu'en Afrique ils sont des Blancs. Il suffirait de traverser la Méditerranée pour changer de race ! Cette différence de regard sur le métis entre l'Europe et l'Afrique est tout simplement due au fait qu'en Europe, tout ce qui est mêlé de Noir perd sa valeur alors qu'en Afrique ce qui a un peu de Blanc en gagne.

En ce qui concerne ma fille et sa drôle de question, je me jette donc à l'eau pour répondre au plus dur pensum qu'il m'ait jamais été donné de résoudre. Je vais lui servir la seule réponse à ce jour homologuée. Je sais qu'elle n'en sera pas satisfaite. Puisqu'elle m'interroge sur ce que je crois être une évidence, c'est que ce n'en est justement pas une pour elle. Je sais aussi que je vais apprendre aujourd'hui quelque chose de très important, de fondamental sur le processus de constitution des identités des filles issues de l'immigration noire.

« Bah oui maman ! Tu es noire ! »

Ô vous tous pères noirs de France et d'Europe, dites-moi s'il vous plaît, qu'auriez-vous répondu à ma place ?

Alors, retentit l'un des plus atroces cris de détresse qu'il ait été donné à un père d'entendre.

« NAAAAAAN ! Je ne suis pas noire ! Je suis marron, marron clair ! »

Je crois avoir marmonné quelque chose du genre : « Ah oui c'est vrai ! Que je suis bête ! Excuse-moi maman. »

Elle est mignonne !

Elle est mignonne ma fille, physiquement tout le monde en convient, mais aussi parce qu'elle m'a beaucoup aidé à comprendre la constitution des identités chez les enfants noirs issus de l'immigration. Grâce à elle, j'ai eu un véritable laboratoire à la maison. Qu'elle sache que je lui en suis très reconnaissant. Qu'elle sache que c'est elle l'inspiratrice principale de ce livre. Qu'elle sache que je l'adore.

Longtemps, j'ai cru comme la quasi-totalité des Noirs et des Blancs, que nos enfants étaient des Africains parce que tous les Noirs sont condamnés à être à jamais des Africains. Les Noirs-Américains partis depuis des siècles ne se disent-ils pas toujours Afro-Américains ? J'ai appris avec une bonne dose de surprise teintée d'incrédulité, d'agacement et d'amusement mêlés, de la part d'une certaine Benedita Gouvea Damasceno Simoneti, noire ambassadrice du Brésil à Londres, que « le Brésil est le plus grand pays du peuple noir d'Afrique, le deuxième étant le Nigeria[34] ». C'était à l'occasion de la journée de l'Afrique à l'Unesco. Et pour qu'il n'y ait pas d'équivoque, elle poursuit, en disant : « Ce qui me réjouit c'est que le groupe africain auprès de

---

34. *Amina*, Journal mensuel noir parisien d'information, n° 390, octobre 2002, p. 66.

l'Unesco reconnaît le Brésil comme étant aussi un pays africain. » Bon ! Si c'est une preuve de la lucidité du groupe africain de l'Unesco ! Si c'est le groupe africain, fût-il de l'Unesco, qui décide désormais des limites continentales et du destin du Brésil, Lula n'a qu'à bien se tenir ! L'article se poursuit par l'énumération des misères des Brésiliens noirs, victimes du racisme. Cette solidarité de la misère chez les Noirs est agaçante. Vivement qu'ils trouvent à revendiquer des communautés de destin plus valorisantes, plus positives. Pourquoi les Australiens et les Néo-Zélandais ne se revendiquent-ils pas de l'Europe ? Noir c'est noir, d'accord ! Mais pas forcement africain.

J'ai longtemps pensé, comme bien des gens, que des racines profondes, indispensables à leur évolution et constitutives de leur identité socioculturelle, reliaient tous les Noirs – dont la énième génération des enfants nés en France – à ce continent. J'étais persuadé qu'ils allaient aimer forcement l'Afrique et que tous aspireraient naturellement à y vivre quand ils seraient grands. Erreur profonde et souvent fatale.

Que de fois j'ai entendu des parents noirs menacer leurs enfants de les renvoyer en Afrique pour y apprendre à être des Noirs. Ce qu'ils leur reprochaient – il s'agit plus souvent des filles que des garçons –, c'était de se comporter comme des *Blancs*, c'est-à-dire, comme des Européens. La confusion entre Européen et Blanc est entretenue par tout le monde. Ce qu'ils leur reprochaient, c'était de mettre du rouge à lèvre et du vernis à ongle, de se parfumer, de s'habiller comme les jeunes filles de leur âge, de refuser l'homme, parfois vieux, laid et polygame, qu'on voulait les forcer à épouser, parfois d'avoir un flirt ou tout simplement d'avoir des copains/copines d'une ethnie (même noire) autre que celle de leurs géniteurs, de fumer des cigarettes. Pauvres enfants martyrs ! On leur reprochait purement et simplement de se comporter *normalement*, de se comporter comme ils devaient se comporter.

Tenaillés par la mise à l'écart de la part des Blancs qui voient en eux des Blacks et non des Français ; harcelés par l'erreur des parents noirs qui voient en eux des Africains et non des Européens qu'ils sont, Européens parce que formés à l'école européenne, à la rue européenne, par la télévision européenne; les pauvres enfants sont écartelés par des contradictions auxquelles ils ne comprennent absolument rien. À force d'essayer de gérer ces contradictions, ils sont comme frappés d'un strabisme mental divergeant qui fait que leur regard ne fixe plus la route à suivre, obligés de regarder en permanence à gauche et à droite pour éviter les coups bas des adultes blancs et noirs.

Nous avions pris l'habitude, mon épouse et moi, d'amener les enfants en vacances dans notre pays d'origine. Au départ, c'était – selon l'expression consacrée – pour ne pas les couper de leurs racines. Je le croyais aussi à l'époque. Cependant, leur mère et moi, nous ne les avons jamais forcés à aimer ce qu'ils n'appréciaient pas parce que nous, nous l'apprécions, parce que cela avait un sens pour nous, parce que cela avait bercé et façonné notre enfance. Ils choisissaient dans la riche gastronomie locale, ce qui convenait à leurs goûts. Souvent, pendant ces voyages, j'ai emporté les petits-déjeuners et les goûters de France qu'ils aimaient: céréales, pâtes à tartiner diverses, petits gâteaux...

J'essayais de leur apporter le maximum de confort dans ce cadre si différent de leur lieu de naissance et de vie. Je n'ai jamais jugé utile de les obliger à marcher pieds nus sur les pistes caillouteuses ou boueuses, de les envoyer se soulager dans des latrines pestilentielles et pathogènes, ou de leur donner de l'eau du puits à boire ou même pour se laver, sous prétexte que c'est dans cet environnement que nous avions été élevés, leur mère et moi. Aujourd'hui, fort logiquement, après quelques décennies en Occident, je ne me sens plus à l'aise dans ce milieu. Alors, je ne m'imagine pas quel sadisme aurait pu me pousser à y précipiter mes chers enfants!

Quand ma fille avait entre quatre et une dizaine d'années, elle attendait avec impatience ces voyages que nous essayions de réaliser tous les deux ans. En plus de l'occasion de jouer avec ses cousines et cousins, et de rencontrer ses grands-parents, elle pouvait évoluer en toute liberté dans le paradis terrestre pour enfants de son jeune âge, qu'était la rue locale.

Comme la saison des pluies correspond sous ces tropiques à l'été européen, période de nos vacances, elle passait toutes ses journées à se baigner avec les enfants du quartier, sous les incessantes averses, diluviennes et tièdes à souhait. Elle courait après les poussins dans la rue, me faisait promettre que je la laisserais rentrer à Évry-Courcouronnes avec tous ceux de la basse-cour de sa grand-mère et des voisins. Elle accompagnait les poules au perchoir, se délectait de leurs caquètements, guettait le chant du coq qu'elle essayait d'imiter, admirait la coloration si typique des margouillats, se gavait de la symphonie des sous-bois de l'arrière-pays, faite de mille chants d'oiseaux et d'autant de bruissements mystérieux, de crissements, de stridulations et de sifflements d'insectes ; elle faisait collecte de lucioles qu'elle enfermait dans un bocal en verre pour en faire cadeau à sa maîtresse à son retour en France (je libérais les pauvres insectes la nuit et lui disait le matin que c'étaient des anges et que l'on ne pouvait les enfermer). Elle s'enfuyait à la vue du plus petit cancrelat sur les murs de la chambre, pour enfin s'endormir dans mes bras après une journée pleine de fortes émotions et de grandes découvertes.

Mais plus le temps passait, plus les rues du quartier de mon enfance perdaient leur charme pour elle en même temps qu'elles dévoilaient à ses yeux, leur misère, leur crasse, leur pestilence. Il était passé le temps des premiers *pourquoi* et des premiers *comment*, passé le temps de l'observation émerveillée de la nature, de l'admiration enfantine du tout différent, donc insolite et beau. Arrivait l'âge de l'adolescence, l'âge du marquage du territoire, l'âge de la découverte de son corps et de son environnement, de la camaraderie, de la coquetterie, de l'imprégnation des modèles de son espace de vie, cet espace qui, pour elle, était la région parisienne et non le milieu d'origine de ses parents. Elle m'a dit un jour qu'elle ne prenait plus grand plaisir à aller dans *mon* pays.

Je me suis senti un peu offusqué. Mais pas pour long-temps. Le temps d'analyser et de comprendre que ce n'était que le raisonnement normal des enfants de son âge et de son lieu de naissance et de vie. Ma fille commençait à découvrir et à déterminer ses *vraies* racines. Mais elle m'a surtout per-mis de comprendre qu'elle n'allait pas vivre ma vie, même par procuration, ni apprécier mes espaces. Elle avait ses propres repères, comme plus tard son enfant aurait les siens qui appartiendraient peut-être à un autre pays si elle déci-dait de s'installer hors de France, en Chine, au Canada, a Kuala Lumpur ou en Patagonie.

Je me suis alors souvenu qu'à son âge, j'avais eu une réaction identique. Comme une grande partie de la jeunesse des villages, mon père était allé s'installer en ville, au lende-main de la Seconde Guerre mondiale. Bien que citadin depuis des décennies, il aimait à retourner dans son village natal pour les vacances. Exactement comme ma fille a aimé un instant la rue de mon enfance, j'ai aimé l'exotisme vert et campagnard de ces espaces villageois qui appartenaient à la vie de mon père et qui étaient si différents de notre ville. J'accompagnais avec plaisir et maladresse, les jeunes villa-geois de mon âge à la chasse et à la pêche. Je participais aux semailles et aux moissons, à la récolte des fruits sauvages. Mais à l'adolescence, j'ai aimé beaucoup moins et leur ai préféré les divertissements de ma ville natale : champion-nats interquartiers de football où nous rivalisions avec nos voisins ; surprises-parties que nous organisions entre copains, pour nous livrer à quelque chose de nouveau mais qui devenait vital pour nous, le flirt et le contact avec l'autre sexe à travers les slows.

« Portos, blackos, pingouins, germains, tous les enfants nés en France sont des Français. » Pas seulement par rapport à la situation administrative. Ils sont Français dans leurs tripes, leur tête, leur vie, leur accent, leurs goûts, leurs choix, leurs aspirations, dans les racines qui les rattachent à un ter-roir – on n'est pas rattaché aux racines d'un autre, fût-il le père ou la mère –, dans leur délinquance. Ils sont Français parce que leur placenta est *enterré* ici et non dans le pays de leurs parents et tout Africain qui se respecte connaît la symbolique du placenta. Cette symbolique voudrait que l'on soit plus rattaché à la terre où le placenta a été enterré qu'à celle de vos origines. Et j'aimerais savoir quel est le critère de détermination de ces fameuses origines ? Est-ce celle, immédiate, du père ? Sont-ce celles, plus lointaines, du grand-père, de l'arrière-grand-père, du trisaïeul ? Cette origine est-elle à prendre du côté de la mère ou de celui du père ou indifféremment ?

Je soumets ce petit problème de racines vraiment carré et assez tordu, j'en conviens, à la sagacité des enracineurs patentés qui déterminent celles des enfants d'origine africaine : « Quelles seraient les origines, où seraient les racines de cet enfant né en France, dont l'arrière grand-père venu du Burkina, a épousé une Guinéenne d'origine libérienne dont les parents sont venus des États-Unis, s'est installé en Côte-d'Ivoire où son grand-père est né, avant d'aller vivre au Sénégal et y engendrer son père d'une union avec une Capverdienne, ce père qui va s'installer en France et y fonder sa famille en épousant une jeune Camerounaise dont le grand-père est venu du Nigeria, dont le père a émigré au Congo et dont la mère... »

Tous ces enfants nés en France sont des Français. Mais vient le jour où les adultes se mettent à les distinguer entre les vrais Français et les étrangers, en fait entre les Blancs et les autres. Rappelons-nous qu'à ce jour, un Antillais noir né en France continentale est un Antillais et qu'un Blanc né dans les îles antillaises est un Européen.

Devant cette réaction des adultes, les enfants ont des comportements strictement différenciés par le genre, c'est-à-dire le sexe. Les garçons deviennent blacks et les filles deviennent marrons et marron clair, selon la densité de la mélanine de leur épiderme. Beaucoup de parents noirs ont déjà été confrontés à la question que Frida m'a posée sur sa couleur.

Un jour, cela arrive dès la première année de maternelle, un camarade de classe blanc balance à un petit Noir comme une insulte, qu'il est noir. Peut-être a-t-il ajouté, papa a dit que – car cette découverte lui a été transmise par ses parents sur la table du dîner familial ou devant un reportage télévisé – les Noirs sont... Il cite un ou plusieurs défauts : saleté, mauvaise, odeur, fainéantise, vol. Alors se déclenche le mécanisme du racisme ordinaire, de la différenciation.

Tous ceux qui ont pris la peine de les observer, ont pu se rendre compte que les petits Noirs nés en France, se croient Blancs à leur bas âge. En fait, ils s'assimilent fort logiquement à la race dominante. Vous verrez que dans les lieux publics, dans les transports en commun, leurs pas hésitants les conduiront souvent vers les personnes de race blanche. Curiosité devant l'autre différent ? Je pense qu'il s'agit plutôt de l'attrait de l'autre que l'on croit semblable. Ces enfants ne s'assimileraient-ils pas au Blanc parce qu'il est le plus représenté, le plus visible dans le paysage local ? On pourrait se poser la question... Dans leur petite tête, ils se posent certainement des questions sur la couleur de leurs parents et des quelques autres personnes qui viennent à la maison ou qu'ils rencontrent dans la rue. J'ai aussi observé que, quand Frida était petite – deux ans, l'âge des premiers gazouillis audibles –, si un Noir passait à la télévision, elle pointait son petit doigt sur lui en disant « papa ! », ou « tonton » parce que son jeune oncle habitait avec nous à cette époque.

À l'âge de trois ans, l'enfant découvre à la maternelle qu'il est différent. C'est la grosse révolte qui, chez les garçons, se traduit par le repli sur soi, par le rassemblement avec ceux qui lui ressemblent. Parfois, ce repli est accompagné de rage parce qu'il constate de plus en plus que sa différence est lourde à porter, que les enseignants, les policiers et beaucoup d'autres institutions ou individus se fondent sur elle pour moduler leur comportement à son égard.

Les filles, quant à elles, refusent farouchement d'être différentes, d'être Noires, de manger les cookies et le chocolat qui assombriraient un peu plus leur peau. Cela a été le cas pour ma fille et, aux dires de beaucoup de parents, cela a été le cas pour les leurs. *Jamais, à ma connaissance, on a entendu un garçon revendiquer la marronnité.*

Cette tentative de gommer les différences ne s'arrêtera plus jamais. Ainsi, si les garçons adoptent les modes noires-américaines, les filles se réfèrent aux Lolita blanches ou noires des clips télévisés et des magazines *people*, pour s'habiller, pour se maquiller, pour se coiffer (perruques, postiches ou mèches de cheveux européens). Même les coiffures rastas qui rasent les petits popotins cambrés, répondent à cette volonté de rapprochement au modèle majoritaire. Mais rien n'y fait et la différenciation persiste.

Il convient ici de noter la différence fondamentale qui existe entre cette recherche de similitude tout à fait logique avec ses compatriotes blanches, et le décapage de la peau chez les femmes noires du continent africain ou immigrées en Europe, qui souffrent du complexe de la négrité et pensent que les canons de la beauté sont blancs. Les filles noires de France ne se décapent pas la peau mais tirent leurs modes vestimentaires et capillaires des publicités ouvertes à leur société et à leur âge. C'est plus dans leurs têtes que par leur peau qu'elles veulent ressembler aux autres, ressembler, pas devenir des caricatures, de pâles copies. Aujourd'hui, on peut noter – compensation certes encore faible – que les adolescentes blanches, pas seulement les plus marginales, se font des rastas ou une ou deux tresses emperlées.

Alors, de même que dans leur tendre enfance, elles ont refusé farouchement d'être noires, à leur adolescence, elles vont avoir l'*esprit* marron. Désormais, elles savent très bien qu'elles ne sont pas et ne seront jamais des Blanches. Ce n'est d'ailleurs pas ce qu'elles recherchent. Elles voudraient tout simplement être européennes, différentes certes, mais européennes. À la marche des femmes de 2000 à Bruxelles, une association locale, Génération II, avait fait le voyage avec 50 adolescentes de toutes origines, dont un bon tiers de *marrons*. La récente marche des filles sous le slogan « ni putes ni soumises », correspond à la même recherche d'identification multiraciale et d'anonymat. Dans leur majorité, elles adoptent le compromis de la marronnité que le Blanc va peut-être accepter, là où les garçons installent l'affrontement de la blackitude qui veut choquer, se faire encore plus rejeter.

Elles essayeront de réussir à l'école, de participer à des actions multiraciales. Elles auront généralement des copines de toutes les races alors que les garçons resteront strictement cantonnés entre Blacks. Il suffit pour s'en convaincre d'assister à leurs fêtes d'anniversaire ou de première communion.

Je sais jusqu'où ira le compromis de la marronnité. Il sera un jour accepté parce que la société finira par entendre et comprendre cet appel assourdissant et néanmoins, parfaitement positif.

En attendant, ma fille, tu es marron clair et c'est bien ainsi, reste-le! Ils finiront un jour par s'accommoder de toi. Mais toi, ne t'accommode jamais de ceux qui te rejettent.

VI - JE SUIS NOIR ET JE N'AIME PAS LES BLACKS

Après des années en France, Keita et son épouse rentrent en Afrique. Le soir, parents et voisins viennent leur souhaiter la bienvenue. On prend des nouvelles de leurs enfants

« Ils sont adultes. Enfin, presque tous. Les filles sont médecin et assistante sociale. Les garçons sont devenus blacks. Deux sont à Fleury et l'autre au Père-Lachaise.

— Blacks, Fleury et Père-Lachaise c'est aussi très bien, félicite un visiteur. »

Je n'aime pas les Blacks tout d'abord, parce que nous sommes en France, et qu'en France, on parle français. C'est bien la moindre des choses.

La blackitude est un produit qui a trois sources principales. La première est sociolinguistique et c'est ce que j'appelle les édulcorations coupables. La deuxième est le fruit du rejet dont ceux qu'on nomme les Blacks se sentent victimes. La troisième, c'est en référence aux USA.

Les hommes de race dite noire sont des négroïdes. Leur véritable appellation devrait donc être Nègre. Dans tous les cas, c'est l'appellation originelle. Cette appellation a été utilisée pendant des siècles et jusqu'au lendemain de la Traite. Mais après la Traite, véritable crime et génocide contre l'Afrique noire, le mot Nègre est devenu péjoratif. Ainsi, désigner quelqu'un de Nègre était assimilé à une insulte. Nègre signifiait désormais esclave. Son usage est resté confiné aux milieux foncièrement racistes et aux cercles artistiques ou littéraires.

Pendant la colonisation, le Nègre est devenu Noir. Je ne sais s'il a gagné à ce changement d'identité. Mais l'assimilation de tout ce qui est mauvais à la couleur noire me pousse à croire qu'il s'agit plutôt d'une régression dans le respect de cette race. Est-ce à cause de cette assimilation ou à cause de la nouvelle forme d'asservissement, la colonisation, dont a été victime la race noire, toujours est-il qu'aujourd'hui, le mot Noir est aussi devenu une insulte. Chaque fois que je revendique d'être noir devant ceux qui font de moi un homme de couleur ou un Black pour ne pas me faire de la peine, je vois le malaise de mes amis. Ils prennent cette revendication pour une provocation.

Pour mieux faire comprendre mon propos, je dirai que les Noirs en France ne sont pas les seules victimes de ces mutations (mutilations) linguistiques. L'on accepte plus ou moins que les Nord-Africains soient désignés par le terme Maghrébins. Mais comme le mot Noir, le mot Arabe (que l'on utilise d'ailleurs à tort et à la place de Maghrébin) qui désigne l'autre composante ethnique de l'immigration subalterne, est considéré comme une insulte. Alors, les Maghrébins, et surtout les jeunes, sont devenus des Beurs, grâce au verlan. Et les filles sont des Beurettes. Il est d'ailleurs tout aussi acceptable de parler de *renoi*, autre terme qui doit son existence aux vertus du verlan.

Les édulcorations linguistiques ne doivent pas être confondues avec les diminutifs et les dérivés qui, selon les circonstances, peuvent être affectifs ou moqueurs, comme ricain, rital, chinetoque, porto. Il existe aussi les appellations xénophobes ou racistes du genre bougnoul, melon, macaque ou youpin. Celles-ci ne cachent pas leur haine ou leur mépris pour l'autre. Mais la spécificité des édulcorations, c'est justement qu'elles cèdent le pas à la récupération raciste des mots pour y substituer des termes que l'on pense plus propres à ménager la sensibilité, la susceptibilité des peuples ségrégués.

Les édulcorations linguistiques renvoient au sentiment de culpabilité que ressent l'homme blanc envers les peuples qu'il ne cesse de soumettre ou d'exploiter. Elle est tout aussi pathétique pour le Blanc qu'injurieuse pour le Noir, cette tentative de gommer l'histoire sans s'en exorciser, sans en réparer les dégâts, en refusant d'affronter ses mauvais actes comme la colonisation, l'esclavage, la ségrégation raciale, de penser qu'on les gomme de l'Histoire juste par une fuite en avant, juste en changeant les mots. Il est dévalorisant pour le Noir, ce recours permanent à l'amnésie collective, position que l'on trouve politiquement correcte. Si le mot Noir perd son sens négatif dans le dictionnaire, il le perdra aussi dans la perception populaire. C'est dans ce sens qu'il convient d'agir.

Ces contorsions linguistiques montrent clairement que le Blanc ne considère pas ces peuples comme ses égaux. Ces hommes resteraient toujours de grands enfants susceptibles, ne pouvant supporter le poids de leur histoire que personne ne veut regarder en face.

À quoi cela sert-il de débaptiser les Nègres tous les cinquante ans si l'on ne change pas le regard que l'on pose sur eux ? Je trouve ces simagrées coupables et même humiliantes.

Entre-temps, l'espèce « black » est apparue dans le paysage social français. Ce terme s'applique aux jeunes d'origine noire – africaine ou antillaise – qui l'ont repris entièrement à leur compte, tant et si bien que l'on pourrait se demander s'ils n'en sont pas les inventeurs. Le véritable créateur reste la société qui a mis en place depuis bien longtemps le système des euphémismes.

Si les jeunes Noirs ont repris cette appellation à leur compte, c'est parce qu'ils sont convaincus qu'ils sont rejetés et ségrégués par la société française. L'unique fondement de ce rejet est la couleur de la peau. Ils se considèrent très rarement comme africains, ivoiriens, camerounais, congolais ou encore maliens, sénégalais. Ils sont français, mais différents. La fraternité qui lie les adultes venant du même État africain – Mali, Sénégal, Cameroun, etc. – ne les concerne pas. Elle les concerne si peu que, dans la liste des assassinats dont ils sont auteurs et victimes, il n'est pas rare que deux protagonistes soient de même origine.

Un commissaire nous exprimait sa surprise de voir que ces enfants ne se regroupaient pas selon les origines de *leurs parents*. Fortement bestialisés, comme une meute, ils s'associent sur les critères d'espèce à défendre, et de territoire à protéger. Les seules références qu'ont les Blacks, leurs éléments fédérateurs, sont la couleur de la peau – cause du rejet dont ils sont (ou se sentent) victimes – et le territoire, quartier où ils habitent. Comme ils sont blacks, ils appartiennent à la planète black, à une internationale black dont ils savent que les membres sont rejetés dans tous les pays où ils sont en minorité, et même parfois en majorité, si l'on pense à l'Afrique du Sud de l'apartheid. Ainsi, ils tirent leurs références de ce qui leur apparaît comme le paradis de la blackitude, les USA.

Les Blacks français évoluent ensemble, ils sont entre eux, en bande, à l'écart des Blancs, comme s'ils cherchaient à se soutenir mutuellement. Leurs idoles ne sauraient appartenir qu'au monde noir, alors que de l'autre côte de la Manche, le look Beckham – je l'ai même vu avec des tresses – est adopté par tous les petits Noirs dont il est l'idole incontestée. N'est-ce pas comme un geste de reconnaissance à la société anglaise qui accorde une meilleure place aux Noirs dans les médias, dans la vie politique et dans la société en général ? A titre d'exemple, siège à la tête de la chambre des Lords une femme noire ennoblie par la Reine d'Angleterre.

Je me souviens du voyage que Kodjo, qui allait devenir plus tard jeune maire adjoint d'une commune de la région parisienne, avait effectué aux USA, il y a une dizaine d'années, juste après sa majorité, avec quelques amis de quartier. C'était le temps désormais si lointain où les jeunes Noirs ne défrayaient pas encore la chronique macabre de la délinquance et de la criminalité de banlieue. Mais déjà, ils se sentaient victimes du rejet. Déjà, ils étaient soudés les uns aux autres et collés à l'internationale black du monde entier. Déjà, les USA étaient le paradis de la blackitude.

En ces temps immémoriaux, le *street-ball basket* et le *hip hop* naissant avec sa danse et sa musique, le *rap*, étaient les terrains privilégiés de leur défoulement. Évidemment, Kodjo et ses amis s'exerçaient au rap et au basket-ball. Mais chacun caressait un rêve secret et précis : Hervé rêvait de cinéma, Magate de musique, Bouba d'héroïsme et Kodjo d'un leadership quelconque.

Un beau matin, enfin, repus de rêves plus ou moins fantasmagoriques sur la grandeur et le bonheur des Noirs aux États-Unis, où tous avaient la dimension d'un Michael Jordan, d'un Quincy Jones, d'un Africa-Bambata, d'un Denzel Washington ou encore d'un Spike Lee, ils s'embarquèrent pour New York avec pour viatique leurs rêves et leurs ambitions et la certitude de voir enfin des Noirs heureux, de pouvoir enfin chanter la ballade des Noirs heureux, des Noirs *unforgettable* !

Le premier contact fut plutôt froid et décevant. L'auberge de jeunesse où ils échouèrent, était minable et nos aventuriers durent partager une espèce de dortoir avec une foule d'inconnus qui puaient des pieds. Ensuite, ils se firent arnaquer par un frère black qui sentait la drogue et le vice à bon marché et à vous faire dégueuler. Kodjo s'est fait piquer la caméra que son père Émile venait d'acquérir au prix de

107

sacrifices incalculables, en ces années de naissance de la vidéo familiale, et dont le brave homme était fier comme lui seul sait l'être. Mais ces mésaventures ne les découragèrent pas. Le contact avec la vie de la cité allait être certainement plus positif, plus enrichissant.

Dans la rue, c'est l'horreur ! Tous les mendiants qu'ils rencontrent, « sauf un », précisent-ils, sont des Noirs. Des centaines de Noirs, mafflus ou maigrichons, semblant ne jamais correspondre aux normes de la race humaine, sillonnent les trottoirs, poussent des chariots remplis de canettes vides. Un peu partout, des êtres rachitiques, des êtres informes, obèses, puant la misère, la déchéance, la mort lente. Une dizaine d'années plus tard, quand Patson, un autre jeune avec lequel je travaille, est allé lui aussi en pèlerinage aux États-Unis, son discours à son retour était identique. « À côté de certains coins blacks, comme le Bronx ou Harlem, le foyer immigré de Montreuil fait figure de Georges V et Château-Rouge devient le VIIᵉ ou le VIIIᵉ arrondissement parisien. » Il s'agit là de cette frange assez importante de Noirs aux États-Unis qui ont été détruits par l'héritage sociologique de l'esclavage, qui n'ont ni âme ni ambition, ni repères ni diplômes, ni travail et qui passent la vie à mourir lentement.

Quand nos jeunes explorateurs reviennent en France, ils se sentent plus français que jamais. Ils fondent une association qui conduira Kodjo au poste prestigieux de maire adjoint, l'un des plus jeunes issus de l'immigration « parce qu'il est le meilleur à ce poste », répondra le maire à tous ces hypocrites qui lui reprochent la jeunesse de son protégé, alors qu'on sait très bien qu'ils ne lui reprochent que le fait d'être noir. La société française n'est pas prête ; il faut la ménager et laisser le temps au temps.

Plus tard, le jeune homme deviendra directeur d'une agence de production musicale très prometteuse. Hervé fera du cinéma. Ce n'est pas encore Spike Lee, mais il fait déjà des choses que l'on dit bonnes. Le plus beau parcours citoyen est certainement celui de Bouba qui n'avait même pas pu être du voyage américain parce qu'il n'en avait pas les moyens. Informé par ses amis de la vraie place qu'occupent certains Noirs aux USA, il ira jusqu'au bout de sa disponibilité citoyenne envers la France en devenant militaire de carrière dans une unité d'élite, alors que tout son parcours antérieur – mal aimé, scolarité médiocre, la rue – le destinait à être un petit caïd de banlieue.

Les jeunes avaient compris que l'on doit se construire dans son pays, non se fier à la beauté du son des cloches de l'autre côté de la montagne. Aucun pays n'est parfait ; chaque pays est le reflet de ses habitants qui doivent le construire. Mais c'était il y a dix ans, il y a dix siècles, il y a dix éternités.

Aujourd'hui, les Blacks continuent à être subjugués par les États-Unis, dont ils adoptent la mode des ghettos noirs, imposés par les rappeurs : bandana unicolore sur la tête, pantalons informes, immenses porte-clés-porte-médaillons.

Le *hip hop* n'est plus ce qu'il était et le basket-ball s'est essoufflé. Pourtant, les Blacks conservent la même rage, décuplée par l'inactivité. Ils continuent hélas à être une fabrication hybride, ni Français, ni rien d'autre. À évoluer en bandes, à encombrer les entrées d'immeubles et les arrêts de bus, comme les âmes en peine qu'ils sont. À se serrer les uns contre les autres, à agir les uns par rapport aux autres, à se tuer les uns les autres. Pauvre Roland ! Pauvre Romuald !

Autant sinon plus que par le rejet – c'est peut-être ce qui en est la cause, au moins une circonstance aggravante –, les Blacks sont nés de l'ignorance de leurs parents par rapport aux modèles locaux. Les parents ont cru – ou pis, on leur a fait croire – qu'ils pouvaient reproduire ici les modes de vie de leur pays d'origine.

Que de fois on a entendu des parents noirs dire que leurs enfants ont des problèmes parce que l'on ne les laisse pas les éduquer à l'africaine. Je rappelle qu'il n'y a pas une éducation africaine, de tout temps et en tout lieu depuis l'Antiquité jusqu'à nos jours, du Cap à Dakar, en ville comme en campagne. Il y a des modèles d'éducation qui correspondent à des milieux sociaux, à des époques. Mais existe également des modèles qui correspondent à un type de socialisation, que l'on a rencontrés en Occident à certains moments, que l'on a rencontrés en Afrique et que l'on rencontre encore dans certains milieux. On peut citer les punitions corporelles dans la famille ou à l'école, la prise en charge collective de l'éducation des enfants par tous les adultes du village. Tout cela s'est fait aussi en France mais tend à disparaître.

Certains parents sont arrivés en France sans rien connaître ni du modèle urbain africain, ni du modèle français, même pas la langue. Comme ils n'ont pas été aidés pour adopter ce modèle, ils se sont repliés sur les seuls modèles qu'ils connaissaient, fourvoyés en cela par la complicité zélée de quelques apprentis sorciers intello-gaucho-paternalo-racistes qui les ont encouragés dans cette attitude. Nous en avons présenté un spécimen rare au chapitre qui traite des origines, spécimen qui affirmait que la polygamie était un élément d'intégration en France[35].

Le Black est la mutation en papillon insaisissable, fragile, suicidaire et nuisible, de cette innocente petite chrysalide d'immigré noir à qui ses parents ont dit d'aller jouer dans la rue, parce que dans son milieu d'origine, *comme sur la place du village français d'antan* – rappelons-nous les films de Pagnol –, les enfants qui jouent dans la rue, sont surveillés par tous les adultes qui s'y trouvent au même moment. Mais ce parent est en décalage total avec ce qui se passe en région urbaine française aujourd'hui.

L'enfant descend dans la rue sans réelle surveillance et, comme tout enfant lâché sans surveillance, il va faire des bêtises. Il va agacer les adultes dans les parcs, en soulevant la poussière ou en les aspergeant avec l'eau des mares. En outre, cet enfant est à la merci des dealers et autres patrons de l'économie souterraine qui vont l'utiliser pour leur sale besogne, puisqu'ils savent qu'à son âge, il n'ira pas en prison. Cet enfant va apprendre à voler.

---

35. Chapitre II, p. 44.

Un autre facteur qui pousse l'enfant au vol est une fois de plus dû à ce que nous appelons des interférences culturelles. C'est-à-dire que les parents mal informés appliquent ici les codes sociaux de là-bas. Nous rappellerons la grosse confusion qui a été entretenue dans le discours, entre la valeur et sa traduction culturelle.

Ainsi, en Afrique, un enfant qui aime à rendre service (valeurs de générosité et de respect des adultes), n'importe quel membre de la communauté l'enverra acheter du pain, du sucre ou des cigarettes. Seulement là-bas, le vendeur qui tient sa boutique, la protège de son corps. Cette boutique a juste la taille d'une chambre ou d'un conteneur maritime et le boutiquier se tient à l'unique ouverture consistant en une simple et étroite fenêtre. Personne n'entre dans son habitacle. Le gamin qui vient acheter du pain ou du sucre n'est pas au contact de la marchandise et même s'il se transformait en Arsène Lupin, il aurait beaucoup de mal à dérober quelque chose. En France, les enfants que les parents envoient faire les courses, lâchés dans Carrefour, Leclerc, Auchan ou dans un autre supermarché, ne peuvent résister longtemps à la tentation. Ils vont voler une tablette de chocolat, puis un CD, puis quelque chose de plus cher, jusqu'au jour où ils se feront attraper. Entre-temps, ils auront pris goût au vol, au bien mal acquis et aux escapades solitaires ou en bandes.

Le plus grave, c'est que beaucoup d'enfants noirs ne sont pas blacks parce que leurs parents les y ont poussés bien involontairement d'ailleurs, à cause de leur méconnaissance des codes locaux. Certains sont blacks parce que la société française ne cesse de les y acculer ou bien parce que c'est l'impression ou la conviction qu'ils possèdent. D'autres, enfin, sont blacks parce que tout jeune Noir en France doit être un Black. Ils ne comprendront pas l'insistance des parents à vouloir les maintenir à la maison alors que les Blacks sont dans la rue. Aussi, beaucoup sortent la nuit en cachette et un beau matin, le père se rend compte que sa voiture a changé de place durant la nuit. Puis, un jour, il tend une souricière, voit son fils revenir à trois ou quatre heures du matin et essayer de remettre les clés du véhicule là où il les a prises.

Un père raconte cette anecdote.

Son fils avait retenu la leçon, du moins il le croyait. Il n'avait pas le droit de traîner dans les rues ; il pouvait aller jouer chez ses copains dans leur chambre ou les recevoir dans la sienne ; un adulte l'accompagnait ou se renseignait au téléphone, cinq minutes après son départ pour savoir s'il était bien arrivé ; un adulte de la famille amie devait le ramener ou signaler le moment où il quittait la maison ; on le déposait à son sport et on allait le chercher ; ou bien avec d'autres parents, on organisait le transport des enfants fréquentant les mêmes clubs ; après les classes, il devait monter dans sa chambre pour faire ses devoirs ; toutes les sorties importantes – parc, courses, restaurant – étaient faites en famille.

« Un jour où je suis rentré un peu plus tôt que d'habitude, du rez-de-chaussée, je me suis rendu compte qu'il y avait une certaine animation dans la chambre de mon fils. Je reconnaissais bien sa voix de fausset et je me demandais s'il faisait du théâtre avec ses leçons pour mieux les assimiler. J'ai ouvert sa porte à l'improviste et je me suis rendu compte qu'il était à la fois entraîneur et arbitre du match de football auquel des petits Noirs du quartier se livraient dans le petit parc derrière notre maison. Une soudaine intuition m'a poussé à ne pas manifester ma présence et à revenir une ou deux fois consécutives pour voir si c'était un fait ponctuel ou si c'était une habitude. Je suis revenu le lendemain et le jour après. C'était bel et bien une habitude. »

Cet homme était cadre supérieur mais hélas, père de Black. Même enfermé dans sa chambre, le garçon avait trouvé moyen d'être à l'extérieur comme la majorité des Blacks du quartier.

Rien de plus désolant que ces enfants noirs entre cinq et dix ans, que l'on voit en grappe dans les supermarchés, les transports en communs, les places publiques, les parcs ; et plus tard à l'adolescence, dans les halls d'immeubles, les arrêts de bus et enfin dans les prisons ou les centres éducatifs plus ou moins fermés ; ou encore, comme c'est de plus en plus le cas, ils sont envoyés dans leurs pays d'origine ou dans les madrasas islamo-intégristes d'Islamabad ou encore de Kaboul.

On n'arrête donc jamais d'assassiner Mozart !

Pendant ce temps, la société dort en paix en parlant de Liberté, alors qu'elle prépare ces enfants à ne plus en avoir dans un avenir proche ; en parlant d'Égalité alors qu'on les prépare à être inférieurs à cause de leur déficit d'éducation ; en parlant de Fraternité alors qu'on en a fait d'éternels étrangers. *En effet, ils deviendront français quand vous cesserez de voir en eux des Blacks et quand ils seront redevenus des Noirs, tout simplement.* Comme vous aussi vous êtes Blancs et non *white.*

Un beau jour, de guerre lasse, le père n'a d'autre solution que la fuite en avant : envoyer l'enfant en Afrique pour qu'il apprenne la vie à l'africaine. Paradoxe du désespoir : pour vivre en Europe, il faut aller apprendre à vivre en Afrique. Pour s'habituer à prendre un travelator ou un escalator, il faudrait fouler pieds nus, les pistes caillouteuses du Sahel. Pour conduire une voiture, on préparera désormais son permis au dromadaire-école.

Il paraît que certains parents ont bien organisé ce retour aux sources en mettant en place avec les autorités locales un suivi social et scolaire, des contacts permanents. Ceci est tout à fait possible mais je doute que ce soit la majorité des cas.

Généralement, l'expédition est un simple débarras qui n'a pour objectif que d'éloigner ce monstre dont on ne peut plus supporter les horreurs. On espère aussi qu'il mènera une vie dure, loin de son quotidien douillet et criminogène, une alternative de fait, la seule en fait, à la prison qui lui ouvrait grand ses portes en France.

À la suite de ces voyages forcés, trois situations se présenteront, de l'aveu même des parents.

Premier cas de figure

L'enfant subit sa peine jusqu'à l'âge de dix-huit ans. Les consulats français de certains pays africains signalent la recrudescence des demandes de rapatriement vers la France, de ces jeunes qui ont été expédiés au pays. Une fois la majorité atteinte, ils vont au consulat et demandent à rentrer *chez eux*, dans *leur pays*, la France. À leur retour, certains n'atterrissent même plus chez leurs parents qui ne sont pas informés de ce retour, et c'est la rupture totale. Ils rechercheront un foyer, puis un petit boulot ou de petits trafics. Pour un certain nombre, même si l'expérience a été traumatisante, elle les a assagis et ils réussissent à rentrer dans le droit chemin. Pour d'autres, le traumatisme de l'exil, la rupture avec les parents et la liberté acquise les conduiront droit vers la délinquance et ses conséquences.

Deuxième cas de figure

L'enfant reste plus ou moins sage dans le pays d'origine de ses parents comme il l'aurait fait en France dans n'importe quel espace coercitif, correctionnel. Une fois de retour, comme libéré de la prison, il replonge de façon souvent irrécupérable. Certains ne se tiennent même pas tranquilles au pays et les écoles locales envoient des lettres au consulat du pays d'origine à Paris, pour demander qu'on arrête de leur confier les jeunes délinquants blacks, parce qu'il suffit parfois d'un seul pour transformer une école française locale en plaque tournante de drogue. Beaucoup de cadres locaux n'inscrivent plus leurs enfants dans ces écoles jadis très prisées, car elles permettaient aux enfants promis à des études supérieures en France, d'être accoutumés dans leur pays au système scolaire français.

Troisième cas de figure

Celui-ci pourrait s'apparenter à une réussite, mais à quel prix! L'enfant est plus ou moins encadré pendant son séjour et il s'assagit. Cet encadrement peut se faire en ville, chez un proche parent fortuné, avec des conditions de vie pas trop rudimentaires. Mais l'encadrement peut aussi prendre – et c'est bien souvent le cas – la simple forme d'un échouage au fin fond d'un village, sans eau courante, sans électricité, sans transports en commun, sans Internet, sans Play Station, sans Nintendo, sans aucun moyen de fuguer; une sorte d'Alcatraz ou de Cayenne en somme. Dans ces conditions de vie aux antipodes de la vie en France, l'enfant apprend ce qu'est la vie à la dure. À son retour en France, il a appris à apprécier la chance de pouvoir y vivre. Mais ceci s'est fait au prix de la rupture avec l'Afrique qui, désormais, a pour lui autant d'attrait que les flammes de l'enfer, pleurs et grincements de dents compris.

Parents, ne laissez plus les gamins de cinq ans traîner dans la rue. Ils ne sont surveillés par personne et deviennent la proie des requins et de la délinquance. Et vous, politiciens à courte vue et intellectuels prétentieux, arrêtez vos débats surréalistes de naïveté ou peut-être de perversité, qui parlent de la liberté des enfants quand un maire courageux et responsable préconise le couvre feu à *minuit pour les enfants de moins de douze ans non-accompagnés*. Est-ce que votre enfant de moins de douze ans se retrouverait dans la rue à minuit, sans être accompagné par un adulte? Votre attitude prétendument libérale n'est-elle pas un refus manifeste d'assistance à enfant en danger, un racisme intellectuel et de gauche, absolument liberticide?

Comme ce nouvel élu de droite à qui des parents noirs demandaient de l'aide pour venir à bout de la délinquance de leurs enfants : « Regardez dehors, leur a-t-il répondu en substance. Ce sont vos enfants qu'on y trouve. Si vous ne pouvez pas vous en occuper, n'en faites pas. »

Cette démission de l'adulte qui se pare de rigueur, de concepts ronflants ou de largesse d'esprit, ne parvient pas à masquer la réalité des égoïsmes qui détruisent notre société. Comment peut-on prétendre instituer la scolarité obligatoire pour des enfants et les laisser dehors quand ils veulent et comme ils veulent? Est-ce parce que ces enfants ne sont pas les vôtres ? Vous n'avez donc pas écouté Jacques Brel dire que tous les enfants sont comme les vôtres. Oui ! la discrimination positive peut être aussi restrictrice de libertés.

Aujourd'hui, pour que ces enfants cessent d'être des Blacks, il faudrait qu'ils deviennent Français. Évidemment, Français ils le sont dans leurs documents administratifs. Évidemment, Français ils reconnaissent qu'ils le sont. Mais un jour, au détour d'une conversation, l'on découvre le profond désamour qu'il y a entre eux et la France.

À l'occasion d'un séjour d'été dans le cadre du dispositif Ville Vie Vacances, nous avons débattu avec une dizaine de jeunes – quatre filles et sept garçons – sur le thème de la citoyenneté. J'ai eu l'agréable surprise de les entendre tous dire qu'ils étaient français et non africains. J'ai apprécié la distance parcourue depuis la génération précédente – celle des 20-30 ans – qui se disait africaine pour s'opposer au rejet ou pour faire plaisir aux parents.

Mais j'ai été littéralement assommé quand tous les garçons m'ont déclaré que, quand l'équipe nationale de France de football était en compétition, ils souhaitaient sa défaite. J'ai pensé que la réponse du premier à intervenir avait peut-être influencé tous les autres. Mais je n'imaginais pas qu'un seul puisse dire cela. Surtout quand je leur ai rappelé que la majorité des Bleus était blacks en 1998.

Je me suis demandé quel séisme avait pu faire évoluer les choses dans ce sens en si peu de temps depuis la coupe du Monde et la déferlante fraternelle de la jeunesse black-blanc-beur. Ils ne trouvaient d'ailleurs pas les mots pour expliquer leur ressenti. Mais le désamour était là, profond, palpable.

Il convient de trouver le remède efficace pour réconcilier cette jeunesse avec la France. On ne pourra plus se contenter des placebos conjoncturels que l'on saupoudre sur les associations, les maisons de quartiers ou les missions locales.

Il faut aujourd'hui un dispositif structurel qui permette de mener une réflexion profonde sur les causes et les remèdes, avec pour objectif, non une intégration protéiforme, mais une citoyenneté, pleine et entière.

VII - JE SUIS NOIR ET J'EN AI UNE PETITE

Une jeune fille de la bonne bourgeoisie blanche présente à son père l'immense Noir qu'elle a décidé d'épouser. Le pauvre père épuise sans succès les arguments matériels et financiers pour décourager le Noir. Puis avec un sourire, il finit par lâcher :

« L'argent n'est pas tout. Je voudrais que ma fille soit heureuse en amour. Comme elle est très exigeante en la matière, je ne la donnerai qu'à un homme qui en aura une de 30 cm.

— Pas de problème ! rétorque le Négro au gros nez, quand Oumarou aime, Oumarou coupe. »

Dans un cours de médecine, le professeur demande à une étudiante :

« Qu'est-ce qui chez l'homme augmente sept fois de volume quand on l'excite ? »

La jeune fille est rouge de confusion et ne réussit pas à s'exprimer. Le professeur se rend compte de son trouble.

« Eh bien, Mademoiselle, reprend-il, c'est l'iris de l'œil. Et pour ce à quoi vous pensez, permettez-moi de vous mettre en garde. Vous risquez d'aller devant de grosses désillusions. »

C'est pareil pour les Noirs. Si l'on demande à une classe d'élèves infirmières blanches, qu'est-ce qui est long et dur chez les Noirs – notamment les Camerounais – à Paris, nous savons que très peu répondront que ce sont les études. Pourtant, c'est la réponse la plus juste. Et pour ce à quoi elles penseront, celles qui tenteront l'expérience pourraient être déçues. Il ne faut pas croire tout ce que l'on entend.

Parmi les idées reçues les plus tenaces sur les Noirs, il y a évidemment celle qui concerne la taille du sexe. Les Noirs pourraient s'en vanter. Ils auraient tort. Le casting qui leur attribue un sexe hypertrophié est généralement accompagné d'un *nota bene* expliquant que cette surcharge localisée a machinalement entraîné l'atrophie d'un autre organe plus fondamental pour l'humain : le cerveau.

En outre, parmi les animaux domestiques, le cheval est celui dont la légende de la taille du sexe, taille aisément vérifiable d'ailleurs, est la plus répandue. Alors, si on poursuit le parallèle entre le cheval et le Noir, on se souviendra que des deux, c'est le cheval qui a été élu la plus noble conquête de l'homme. Dès lors, le Noir se voit relégué dans le meilleur des cas, au deuxième rang. Ce qui n'est pas si élogieux que cela, vu les services rendus pour le développement de l'Amérique, continent où le cheval a lui aussi joué un rôle important dans la conquête de la nature. Veut-on me faire croire que le cheval a plus œuvré pour l'humanité que les descendants de Cham ?

Cependant, même cette deuxième place n'est pas assurée. L'on a souvent dit que l'autre ami de l'homme, le chien, était plus fidèle que le Noir.

Les idées reçues sur le Noir ne s'arrêtent pas à des domaines anecdotiques sinon drôles, comme la taille du sexe ou la fidélité à son maître. Dans les arts ou le sport, le Noir se voit collées des étiquettes spécifiques. Les disciplines pour lesquelles on attribue une certaine primauté aux Noirs, comme le sport ou la musique, se trouvent généralement dans le domaine du ludique, du divertissement. De là à conclure que dans le cadre de la servilité héréditaire – n'oublions pas Cham – le Noir est fait pour être l'amuseur public des races rationnelles, pensantes, il n'y a qu'un pas.

Et retentit à nouveau le cri du poète qui refuse d'être « ce cannibale/de foire/roulant les prunelles d'ivoire/pour le frisson des gosses »[36] ; qui ne veut pas être estampillé éternel « acteur/tout barbouillé de suie/qui sanglote sa peine/bras levés vers le ciel/sous l'œil des caméra » ; qui ne veut pas être l'amuseur de son maître.

Avant de continuer, disons que nous ne pouvons même pas nous appuyer sur des études pour réfuter la prédestination sportive et artistique du Noir. En effet, on trouvera autant d'études aussi savantes les unes que les autres pour confirmer ou infirmer cette thèse. Aussi, allons-nous tout simplement faire parler le bon sens.

En ce qui concerne les arts, le comte de Gobineau faisait cette déclaration hautement chatoyante :

« Il me semble voir un Bambara assistant à l'exécution d'un des airs qui lui plaisent. Son visage s'enflamme, ses yeux brillent. Il rit et sa large bouche montre, étincelantes au milieu de sa face ténébreuse, ses dents blanches et aiguës. La jouissance vient... Des sons inarticulés font effort pour sortir de sa gorge que comprime la passion : de grosses larmes roulent sur ses joues proéminentes ; encore un moment il va crier ; la musique cesse, il est accablé de fatigue.

Pour le Nègre... la danse est avec la musique, l'objet de la plus irrésistible passion. C'est parce que la sensualité est pour presque tout, sinon tout, dans la danse.

---

36. Guy Tirolien in *Balles d'or,* Éditions Présence africaine, Paris, 1961, p. 73.

Ainsi, le Nègre possède au plus haut degré la faculté sensuelle sans laquelle il n'est point d'art possible ; et, d'autre part, l'absence des aptitudes le rend complètement impropre à la culture de l'art, même à l'appréciation de ce que cette noble application des humains peut produire d'élevé. Pour mettre ses facultés en valeur, il faut qu'il s'allie avec une race différemment doué[37]. »

Le compte de Gobineau affirme donc que le Noir est fait pour l'art, comme le singe est fait pour la vie arboricole et la grimace. Pour le Noir, il faut la sensualité et pour le singe, l'agilité et la dextérité. Mais comme l'un et l'autre ne sont pas doués d'intelligence, ils doivent se soumettre à un maître qui canalisera leur don pour en faire des tours présentables dans un cirque.

En plus de cette destinée d'amuseur, le Noir se voit déniée toute capacité de conception, de réflexion. Tout succès noir est rationalisé et ramené à la sphère de la nature, donc de la bestialité. Ni les conditions sociologiques, ni l'effort individuel ne sont pris en compte. S'il réussit dans le sport, c'est à cause de sa morphologie aérodynamique, de sa masse musculaire. La musique et le rythme, il les a dans le sang. Pourtant, si le choix n'avait pas été fait de bestialiser le Noir, on aurait aisément compris que des prédispositions morphologiques ou les alchimies sanguines n'ont rien à voir dans ses performances, mais plutôt une banale nécessité d'adaptation à son milieu, une obligation de survie, tout comme on trouve plus de skieurs dans les Alpes qu'en région parisienne ou à Conakry.

Si nous prenons le cas du sport, il est évident que les Négro-Américains sont devenus de grands champions du divertissement des Blancs, de la même manière que les gladiateurs se jetaient dans l'arène et affrontaient le lion ou un adversaire humain, pour le frisson des Romains et le bon plaisir de César. Pour ce qui concerne les Noirs-américains, il s'est avéré très vite que la distraction du maître par le sport

---

37. Comte de Gobineau, *Essai sur l'inégalité des races*, livre II, chapitre 7, première édition 1853-1855.

était l'une des rares voies pouvant leur apporter succès, fortune et notoriété.

La pratique du football pour les Africains, découle de la même logique. L'exode rural massif des années 1950, a coupé les populations des divertissements et des occupations traditionnels comme la chasse, la pêche ou encore l'agriculture. Les jeunes, après l'école, ne pouvaient pas aller aider leurs parents sur les chantiers comme ils le faisaient dans les champs. Dès lors, il fallait occuper le temps libre. Le football s'est présenté à eux avec sa facilité d'exécution et la sobriété de ses équipements. Il ne fallait pas grand-chose pour s'y mettre : des buts délimités par deux petites pierres ou par de vieilles boîtes de conserve, un ballon qui pouvait être constitué de tous les matériaux, du chiffon aux oranges vertes. On jouait même avec des citrons ou des balles de tennis que l'on ramassait près des courts où s'exerçaient les Européens. Et vous pouvez me croire, quand vous avez réussi à faire des dribles et des passes précises avec un citron plus ou moins ovoïde ou avec une minuscule balle de tennis, vous devenez inégalable.

Il n'existe pas de sport qui corresponde à la morphologie du Noir. Nous avons vu ces dernières années que les courses de fond qui semblaient exclusivement réservées aux nerveux petits hommes de l'Afrique de l'Est – Éthiopie, Somalie, Kenya – sont aujourd'hui outrageusement dominées par les Marocains ou encore des Anglais, les uns et les autres, bien blancs. Le sprint n'est pas plus affaire d'Américains noirs que la nage n'était l'apanage des viriles filles de l'ex-RDA. On découvre au jour le jour que tous étaient bourrés de barbituriques à en crever. Et ils en crèvent ![38]

Concernant le sprint, quelle similitude morphologique y a-t-il entre le longiligne Carl Lewis et la courte armoire à glace Ben Johnson ? En quoi Marie-José Perec ressemble-t-elle à Christine Aron ?

S'il n'existe pas à ce jour un sport dont on puisse dire qu'il corresponde à une morphologie spécifique à une race,

38. Voir le livre de Jean-Paul Escande, *Des cobayes, des médailles, des ministres*, Max Milo Éditions.

il existe cependant des sports élitistes qui correspondent peu aux moyens financiers de la majorité des Noirs, mais aussi des Blancs. Ils ne sont pas légion ceux qui peuvent prétendre faire du polo ou du golf.

Néanmoins, même dans ces sports élitistes, dont on pourrait penser qu'ils exigent une intelligence digne du meilleur des Californiens, on voit que les Noirs excellent dès qu'ils y ont la moindre ouverture. Ainsi, au tennis, si on ramène les taux de réussite au nombre de licenciés, la race noire – avec Ash, Noah et les sœurs Williams – devient la championne des races de tous les temps. Et qu'on ne me parle pas des biceps que seraient en train de prendre les sœurs Williams, parce que je dirai que si les muscles féminins permettaient de gagner les tournois, notre Mauresmo nationale serait une championne hors pair et l'hommasse Navratilova trônerait encore au sommet du *top one* du tennis mondial. Du côté du golf, Tiger Woods tout seul hisse les Noirs aux meilleurs scores raciaux.

La réussite sportive est une affaire sociale et non raciale et il est sûr, Blancs et Noirs confondus, que les champions de football viennent des banlieues alors que ceux de l'équitation et du golf ou du polo viennent des beaux quartiers.

Le sport, la musique, le rythme, sont des acquis sociaux, culturels et non des éléments innés, naturels. Les Noirs ont le rythme dans le sang. Ceci est si souvent affirmé que dire le contraire s'apparente soit à la folie, soit à une blague de balourd. Pourtant, j'ose prétendre sans être ni fou ni balourd, du moins je le crois et cela n'engage que moi, que dans le sang de tous les animaux, dont l'homme, dont le Noir, on ne trouve que des globules blancs et des globules rouges.

Dans le domaine des idées reçues, on trouve aussi la religion, et le Noir est généralement animiste ou musulman. Mon prénom est très vieille France. Il est fortement ancré dans la tradition française. Parfois, j'ai l'impression qu'on me le reproche, tellement, on me demande mon prénom africain. Je dis que je n'en ai pas. Ils sont étonnés. Et d'autant plus quand, à mon tour, je leur demande leur prénom français. « *Mais c'est Jean! Mais c'est Paul! Mais c'est Mathieu!* » Alors calmement, comme à des enfants, je leur explique que Jean, Paul, Mathieu et consort, ce sont à l'origine, des *noms* juifs. Ah bon! Ah oui! Je leur explique que la religion chrétienne et les prénoms judéo-chrétiens sont à l'origine les noms tirés du patrimoine culturel juif. Saint Paul, saint Pierre ou saint Jacques étaient de bien braves Sémites.

Alors, je voudrais dire aux Noirs que le problème n'est pas d'avoir été colonisés. Tout le monde l'a été de manière plus ou moins brutale. Le problème est de réussir à se libérer l'esprit des sédiments négatifs qui ont été déposés par la colonisation.

Pourquoi tout ce ramdam sur le prénom? Tout simplement parce que tous les Noirs sont supposés être des musulmans. Même le journal *Marianne*[39]. se trompe quand il affirme que les Africains en France sont « musulmans à 90 % ». Encore une idée reçue bien tenace. De même que les Noirs sont supposés être éboueurs à 90 %, de même ils sont musulmans dans les mêmes proportions.

Le flot de Zaïrois qui a déferlé sur l'Hexagone depuis une quinzaine d'années comme un nuage noir ou une marée de la même couleur, débarquant de partout; les étudiants de l'Afrique centrale piégés par la débâcle des économies africaines; les aventuriers eux aussi victimes de la crise africaine, qui braveront tous les dangers pour atteindre les rives de l'Éden; tout ce peuple du Black-Exodus est ignoré parce qu'avec son christianisme et son degré d'instruction bien conforme aux normes françaises, il ne correspond pas aux stéréotypes de l'Africain.

Aujourd'hui, grâce au déferlement zaïrois, il y a certainement plus de chrétiens que de musulmans parmi la population noire africaine de France. Des dizaines d'Églises chrétiennes, évangélistes, pentecôtistes, baptistes, adventistes, célestes, kimbanguistes, catholiques libérales, *born again*,

---

39. *Marianne*, 23-29 septembre 2002, p. 52

ont surgi un peu partout avec leurs cultes tonitruants et leurs prophètes de l'apocalypse ou de l'escroquerie. Mais le Noir reste musulman et accessoirement analphabète, éboueur. Peu importe que j'aie un prénom chrétien, je suis musulman, cela va de soi. On me demande tout le temps si je mange du porc, si je bois du vin! Me poser cette question, à moi un Bourguignon!

Pourtant, en ces temps de baisse de la pratique chrétienne en Europe et de la croissance du nombre de musulmans et de l'islamisme dans le monde, la France, fille aînée de l'Église, n'a aucun intérêt à céder à l'islam les quelques chrétiens supplémentaires qui lui sont venus des tropiques avec, dans leurs bagages, des prêtres comme père Juvénal ou le jeune père Louis; des religieuses comme la sublime sœur Cécilia unanimement appréciée; et des séminaristes comme Thomas ou encore Armand, tous de braves missionnaires noirs qui travaillent dans le département de l'Essonne.

Aujourd'hui, en effet, on a l'impression que les missions se font dans le sens Afrique-Europe et le nombre de prêtres venus d'Afrique ne cesse de croître. Qui eut cru, il y a dix ans, que le curé d'une cathédrale française – celle d'Évry, la seule construite au XXᵉ siècle – pourrait être Noir, comme c'est le cas avec père Juvénal? Bon, c'est vrai! Peut-être qu'il est parfois agaçant à vouloir en faire un tout petit peu trop dans le désir atavique de correspondre au stéréotype du Noir rigolard – d'ailleurs je ne suis pas sûr d'échapper moi-même à cette tentation –, avec ses mimiques et ses petites blagues; de correspondre au stéréotype du Noir besogneux et appliqué, lisant consciencieusement son homélie dactylographiée et entrecoupée de blagues. Qu'importe! J'ai cependant la nette impression que sa présence a amélioré la fréquentation de la cathédrale; grâce à ses homélies et non grâce à son exotisme, j'espère. J'ai aussi l'impression que certains prêtres blancs essayent de calquer leur animation des prêches sur son modèle.

L'islam serait-il la religion des Noirs? Aux États-Unis, beaucoup de Noirs en sont convaincus. Acculés par le racisme de la population judéo-chrétienne, beaucoup se sont réfugiés dans cette religion, avec plus ou moins de sincérité d'ailleurs; pour certains petits malins, il s'agit tout simplement d'un moyen d'enrichissement et de promotion personnelle. Ce genre d'expérimentation hasardeuse, due au désespoir, n'a pas toujours conduit au bonheur. Rappelons-nous les partis communistes africains.

La lutte contre les impérialistes colonisateurs a jeté bon nombre de pays africains dans le giron communiste. Ils n'ont toujours pas réussi à se remettre de ces aventures. Il est vrai que le communisme n'a pas été seul responsable de la débâcle de leurs économies – les non-communistes n'ont pas fait bien mieux – mais il en a été l'un des facteurs aggravants. Surtout, il s'agissait d'un non-sens socio-économique, puisque l'on prétendait que le communisme correspondait au système ancestral africain de répartition.

L'islam, religion des Noirs! Pas plus que le communisme n'est un système de redistribution africain. Ce que je ne souhaite pas, c'est que l'assimilation des Blacks français au modèle noir-américain les conduise à adopter aussi l'islam noir-américain.

Un florilège

Ci-après, un florilège de blagues qui plus que tout autre mode de discours, permettent d'illustrer certaines idées reçues sur les Noirs.

◊

Pourquoi Dieu a-t-il créé les Noirs ?
Parce que les appareils domestiques et agricoles ne savent pas chanter le blues.

◊

Où peut-on trouver un Noir honnête ?
Au cimetière.

◊

Quelle est la différence entre un Noir honnête et le monstre du Loch Ness ?
Aucune. Tout le monde en parle et personne ne l'a jamais vu.

◊

Quelle différence y a-t-il entre un Noir et une prison ?
Dans une prison, il y a des cellules grises.

◊

Le Noir est une chose que Dieu un jour a tirée du néant et qui n'en finit pas de ne pas en sortir.

◊

Qu'est-ce qu'un Noir avec le QI d'un orang-outang ?
C'est un surdoué.

◊

Quand peut-on dire d'un Noir qu'il est brillant?
Quand on l'arrose d'essence et qu'on jette une torche enflammée.

◊

Comment sait-on qu'un Noir est heureux?
On s'en fout.
Mais encore?
On lui chatouille la plante des pieds.

◊

Pourquoi les Noirs ont-ils l'air idiot?
Parce qu'ils sont idiots.

◊

Pourquoi les Noirs sont-ils imberbes?
Parce qu'ils restent éternellement des enfants.

◊

C'est quoi l'amour entre une Blanche et un Noir?
C'est un viol et on en a la preuve, noir sur blanc.

◊

Quelle est la différence entre un esclave noir et un chien?
Le chien vous restera toujours fidèle.

◊

C'est quoi plusieurs Noirs nus dans une pièce?
C'est une forêt de lianes.

◊

Comment reconnaît-on un bateau négrier?
Au nombre incalculable de requins déchaînés et féroces qui le suivent.

◊

Comment attrape-t-on un esclave noir qui a fugué?
Il suffit de lâcher une blanche nue à ses trousses.
Et l'hiver?
On lâche une chèvre blonde.

◊

Pourquoi les Noirs n'ont jamais mal à la tête?
Parce qu'ils n'ont rien dans la tête.

◊

Qu'est-ce qu'un Nègre qui a perdu 95 % de son intelligence?
C'est un esclave émancipé.

◊

Comment faire pour qu'apparaisse une lueur dans le visage d'un Nègre?
Faites-le rire, on verra alors ses dents.

◊

Trois personnes se sont évadées du bagne, un Blanc, un Indien et un Noir. Ils décident de rejoindre à la nage une île située à une trentaine de kilomètres du continent, île sur laquelle vivrait en paix une grande colonie d'évadés de toutes sortes. Nos trois compères se jettent à l'eau. Après une dizaine de kilomètres, le Blanc se fatigue et se noie. Dix kilomètres plus loin, l'Indien subit le même sort. Le Noir reste donc seul et continue à nager vigoureusement. Quelque temps après, il aperçoit à l'horizon, la végétation de l'île. Alors, avec un soupir de dépit, il se dit :

« Je suis vraiment trop fatigué, je n'y arriverai jamais. »

Et il fait demi-tour.

◊

Pourquoi un Noir surdoué est-il content quand il a terminé un puzzle en trois ans ?

Parce que sur la boîte, c'est marqué : de quatre à six ans.

◊

Nous sommes au mois de décembre en Alabama. Un Nègre affranchi attend depuis quelques heures devant la porte close d'un cinéma. Un Blanc généreux vient à passer et lui demande :

« Qu'est-ce que vous faites là devant cette salle de cinéma ?

— Je voudrais assister à la prochaine séance.

— Mais il n'y a pas de prochaine séance. Le cinéma est fermé.

— Je vois bien qu'il est fermé, répond le Nègre avec humeur. Mais il va bientôt ouvrir pour la prochaine séance dont le titre est accroché à la porte : *Fermé jusqu'au printemps.* »

◊

La corruption est la seule forme de démocratie en Afrique.

◊

Les immigrés ont besoin d'être aimés. Ils souffrent trop d'êtres suspectés.

◊

L'autre jour, je rencontre un Nègre qui tient un âne en laisse. Je demande alors :
« Où as-tu trouvé çà ?
L'âne répond :
— À la kermesse de l'église. »

◊

Deux hommes et deux femmes font-ils quatre êtres humains ? J'en doute si on additionne 2 Nègres et 2 Négresses.

◊

Un des effets de l'émancipation, c'est de rendre salopards et prétentieux, des braves Nègres qui n'étaient que de simples imbéciles.

◊

Quand un Noir vous répond, on ne comprend plus ce qu'on lui avait demandé.

◊

Les Nègres sont comme de la crème ; les plus fouettés sont les meilleurs.

◊

Les municipalités, l'été venu, amènent les enfants des cités à la mer dans l'espoir souvent déçu de noyer les plus basanés.

◊

L'égalité des chances dans beaucoup de pays, c'est pour ceux qui ont la chance d'être Blancs.

◊

Qu'est-ce qui est plus menteur qu'un Noir ?
Deux Noirs.

Qu'est-ce qui est plus voleur qu'un Noir ?
Deux Noirs.

Qu'est-ce qui est plus paresseux qu'un Noir ?
Deux Noirs.

Qu'est-ce qui est plus lourd qu'un Noir ?
Deux Noirs.

Qu'est-ce qui est plus léger qu'un Noir ?
Une Noire.

VIII - JE SUIS NOIR ET JE N'EN SUIS PAS FIER

Un matin, pris de remords à cause du spectacle des Noirs qui immigrent vers l'Europe, les Occidentaux se réunissent à Bruxelles et décident que la meilleure façon d'arrêter l'immigration, c'est de rendre à l'Afrique ses richesses, Pour ce faire, les populations des deux continents permuteront : les Blancs s'installeront en Afrique et les Noirs occuperont l'Europe. Sitôt dit, sitôt fait !
Dix ans plus tard, l'immigration reprend... dans l'autre sens.

Entre les jérémiades sur les crimes et les injustices dont il a été victime – esclavage et colonisation –, et les rodomontades sur la fierté et la beauté noires, il y a un espace que le Noir doit investir pour être juste un homme pareil aux autres.

135

Je suis noir et je n'en suis pas fier.

Franchement, je ne vois pas pourquoi je le serais. Tout simplement parce que je ne vois pas de raison à ce qu'on crie sa fierté d'être blanc, jaune, rouge ou noir. Je ne vois pas de raison pour qu'on soit fier d'être noir, et pour le Noir, c'est peut-être même plus que cela.

Je suis noir et j'en suis fier; cette affirmation comme beaucoup d'autres slogans du monde black, nous est venue des USA. James Brown, le talentueux parrain de la *soul music* a crié un jour: « *Say it loud, I am black and proud.* » (« Dis-le fort: Je suis noir et fier de l'être. »). Il n'y a rien de plus pathétique pour un peuple que d'être obligé de revendiquer le simple droit à l'existence. Quand un peuple est acculé à crier sa fierté, c'est qu'il ne l'a justement pas encore acquise. Ces déclarations, en fait, sonnent comme un cri de désespoir et de supplique envers ceux-là qui ne reconnaissent pas notre humanité, ou la trouvent inférieure à celle du WASP étalon. Le Noir se sent obligé de clamer qu'il est fier de sa couleur pour essayer de s'en convaincre avant d'en convaincre les autres qui, se dit-il, pensent *encore* qu'il devrait en avoir honte. Ainsi, dans la bouche du Noir, « je suis fier » équivaut à « je n'ai pas honte ». C'est comme si l'on entendait quelqu'un déclarer: « Je suis fier d'être pauvre, malade, handicapé. » Je suis fier d'avoir conquis ma fierté parce que l'on m'a longtemps acculé à avoir honte de ma couleur.

Cette nécessité pour le Noir de prouver qu'il est un être humain, on la trouve déjà chez certains précurseurs ou pères de la négritude, ce courant littéraire noir francophone, qui s'insurgea contre le colonialisme et l'impérialisme du Blanc sur le Noir et prôna la prise de conscience chez les Noirs de l'égalité des cultures, de la place du Noir au sein de la race humaine. Alors, on comprend la supplique de René Maran qui demandait dans un de ses romans[40], juste à être « un homme pareil aux autres ». Ce à quoi son interlocuteur lui répondait en substance, qu'il n'était pas sauvage comme les

40. René Maran, *Un homme pareil aux autres.* Épuisé.

autres Noirs, qu'il était pratiquement normal, juste un peu trop bronzé.

Prise de conscience, l'idée est lâchée et ces implications sont terribles. Prise de conscience, c'est l'aveu que la conscience n'existait pas avant. Et quand il a eu pris conscience de son humanité, Senghor, l'un des pères de la négritude, nous a appris que l'émotion est nègre et la raison hellène (rapport à la civilisation grecque). Ce qui veut dire, aux Noirs la bamboula, aux Blancs la réflexion, le comportement rationnel, la raison. Ce qui rejoint les théories racistes du comte de Gobineau dans son *Traité sur l'inégalité des races* (1853-1855), où il déclare que le Nègre est sensualité et le Blanc intelligence. Un président africain comparait l'Afrique tout entière à un véhicule dont le conducteur serait la France. Après cela, il est difficile de parler de fierté sauf s'il s'agit de celle d'un bon serviteur, qui accepte bien évidemment la supériorité du maître.

Alors, je peux dire que les incantations sur la fierté noire – comme celles sur la fierté homosexuelle qui n'a pas plus de raison d'être – me font mal aux oreilles, me gênent, me chagrinent. C'est le genre de fierté que l'on demande à toute l'Afrique de ressentir quand le seul Sénégal se fait éliminer de la coupe du Monde, sans gloire, au niveau des quarts de finale. Le Noir a été tellement acculé à n'exister que par rapport au regard que le Blanc pose sur lui, qu'il en est resté au stade primitif de l'essentialisation et de la réaction.

Les écrivains anglophones noirs d'Afrique ont eu une approche différente. À la pathétique recherche de compromis francophone – acceptez donc, chers Blancs, que nous sommes des hommes –, ils ont rétorqué avec une certaine emphase fort compréhensible, à travers la voix du prix Nobel nigérian de littérature, Wole Soyinka : « Parle-t-on de tigritude pour définir un tigre ? » Cela veut dire qu'il ne sert à rien de clamer sa fierté *d'exister*, de vouloir prouver son humanité à ceux qui en douteraient, à ceux qui la remettraient en cause.

Il faudra bien qu'un jour, on se contente d'être noir et que l'on réserve notre fierté à nos réalisations.

Si l'on accepte que la fierté est le sentiment de la satisfaction légitime devant le succès, la conquête, et non devant un héritage, une valeur innée, on se demande à quoi rime cette revendication de la fierté d'être noir. En effet, un Noir, un Blanc, un Jaune ou un Rouge ont tout à fait légitimité à être fiers de leur diplôme, de leur voiture, de leur réussite professionnelle, de leur cheptel de bovins ou de femmes que l'on nomme harem là où c'est autorisé, de la réussite de leurs enfants. James Brown peut être fier de son succès dans la musique. Mais je ne comprends pas les raisons d'être fier de la couleur de la peau qui n'est pas le fruit d'une conquête, à peine le lot d'un jeu de hasard.

Il est vrai que l'on peut légitimement revendiquer une certaine fierté par héritage, par procuration, la fierté d'appartenir à une lignée prestigieuse, à une race, à un peuple, à un pays, à une famille qui auraient multiplié des prouesses dans le passé, qui auraient fait de grandes choses. Cependant, même cette fierté, on doit la mériter. Si votre père vous laisse une fortune et que vous la faites fructifier, vous pouvez être fier d'être le *digne* fils d'un père comme le vôtre, d'être le descendant d'une longue lignée de capitaines d'entreprise. Si votre père vous lègue un empire et que vous le dilapidez, vous pouvez toujours hurler votre fierté *urbi et orbi* d'être son fils, cette fierté ne sera pas réciproque. Votre père passera son éternité à se retourner dans son mausolée et à se boucher les oreilles pour ne plus vous entendre.

On me demandera alors : « Grande gueule, cher Monsieur Sabitou, pourquoi tu chantes ta fierté d'être bourguignon ? » Et moi, je répondrai : « Cher Monsieur, la différence entre ma fierté de Bourguignon et ta fierté de Noir c'est que, le Bourguignon vous dit : "Quand je vois rougir ma trogne, je suis fier d'être bourguignon". » Petite explication de texte. La trogne, c'est le pied de vigne, l'héritage que m'a légué mon père. Et ma fierté méritée (fierté méritée, c'est un pléonasme) apparaît chaque année, *quand je vois rougir ma trogne*, c'est-à-dire, quand je vois les grappes de raisins qui rougissent et alourdissent ma trogne, quand je vois le résultat du travail que j'ai accompli pour perpétuer la tradition bourguignonne. Je ne suis pas fier d'être bourguignon parce que les Vaudois, les Lorrains, les Alsaciens, les Savoyards, les Flamands, les Teutons ou les Saxons prétendraient que je ne suis rien. Le Noir clame sa fierté par réaction à l'attitude infériorisante de l'autre, souvent par défi et non par réelle conviction, quand on voit les efforts qu'il fait pour ressembler au Blanc.

Aujourd'hui, quand mon enfant me demande s'il peut être fier d'être noir, très objectivement je ne sais pas si je dois répondre par une affirmative péremptoire et sans appel. J'essayerai de trouver dans l'histoire africaine ou universelle, les éléments qui permettraient que les Noirs soient fiers de quelque chose, comme par exemple d'une éventuelle contribution à la science, à la culture, au développement actuel de la planète. Mais je me poserai aussi la question de savoir si nous pouvons être fiers de l'usage que nous avons fait de cet héritage. L'enfant prodigue n'avait aucune raison d'être fier. Il ne l'a pas été, et c'est cette honnêteté qui a fait qu'il entre dans l'Histoire.

Je me demanderai si nous pouvons nous contenter de pousser de sempiternelles jérémiades contre l'esclavage, la colonisation et ne pas faire quelque chose pour nous guérir de ce passé peu élogieux, afin que nos enfants puissent un jour ferrailler à égalité avec les autres races. Je me demanderai si nous faisons ce qu'il faut pour que le monde entier se dise : plus jamais ça. Je me demanderai si l'Afrique n'aurait pas dû organiser une commémoration de la traite des Nègres, instituer une journée du souvenir, afin que nul n'oublie, au lieu d'attendre que la France célèbre non le souvenir de la Traite, mais son abolition, acte humanitaire et absolvant dont elle s'attribue les mérites, dans une commémoration plutôt aseptisée !

Souvent je pense au grand Jacques Brel pour qui il était trop facile de faire semblant. Les quelques voix qui s'élèvent

timidement pour rappeler aux Noirs qu'ils n'ont sincèrement aucune raison d'être fiers de leur présent, ces voix sont
généralement étouffées par la cacophonie sans fierté de
ceux qui pensent qu'il est plus facile d'accuser l'esclavage et
la colonisation, dénoncent et condamnent la trahison de
ceux qui osent leur demander de prendre le bain dans le
bourbier ancestral, de ceux qui osent réclamer un droit d'in-
ventaire, une répartition objective des responsabilités pour
la situation *actuelle* des Noirs.

Dans son roman *Devoir de violence*[41] qui vient d'être
réédité, l'écrivain malien Yambo Ouologuem s'en prend vio-
lemment à la représentation d'une Afrique exclusivement
victime de la colonisation blanche. Cet ouvrage paru en 1968
a soulevé une telle polémique que l'éditeur a été obligé de le
retirer des ventes. Quelques années plus tard, avec une
bonne dose de témérité, Axèle Kabou[42] remettait cela, dans
un essai de grande qualité, se demandant si l'Afrique voulait
vraiment se développer, si elle ne se complaisait pas dans ses
lamentations d'hypocondriaque.

Césaire ne pense pas autre chose dans son *Cahier d'un
retour au pays natal*. Mais qui a jamais pris la peine de *lire*
Césaire ? Après le petit matin des récriminations, des malé-
dictions et des haines accumulées contre l'autre, le Blanc qui
nous a fait ça, l'auteur reconnaît qu'il est en train de s'enfermer dans une impasse, que la haine et la récrimination sont
mauvaises conseillères. « Je me suis adressé au mauvais sorcier... Cette voix qui crie, lentement enrouée, vainement,
vainement enrouée, et il n'y a que les fientes accumulées de
nos mensonges et qui ne répondent pas[43]. »

Le mauvais sorcier, c'est la haine stérile, l'imprécation
statique. Avant tout, nous devons agir. Nous allons évacuer
ce qui ne saurait en aucun cas faire la fierté d'un peuple. À ce
propos, Césaire nous donne encore son avis.

41. Yambo Ouologuem, *Devoir de violence*, Le Serpent à Plumes, Paris, 2003.
42. Axèle Kabou, *Et si l'Afrique refusait le développement*, L'Harmattan, Paris, 1993.
43. Aimé Césaire, *Cahier d'un retour au pays natal*, Éditions Présence Africaine, collection poésie, Paris,
1983, p. 36.

« Je refuse de me donner mes boursouflures comme d'authentiques gloires.

Et je ris de mes anciennes imaginations puériles.

Nous n'avons jamais été amazones du roi du Dahomey, ni princes de Ghana, ni docteurs à Tombouctou... Et puisque j'ai décidé de ne rien celer de notre histoire, je veux avouer que nous fûmes de tout temps... des cireurs de chaussures sans envergure... et le seul indiscutable record que nous ayons battu est celui d'endurance à la chicotte[44]. »

Dur, dur d'entendre cela. Et c'est justement la fierté qui pour le coup, en prend un sacré coup. Et ce n'est pas un esclavagiste, un impérialiste, un colonialiste ou un raciste qui fait ce constat sans appel. C'est l'une des plus belles plumes de la défense des Noirs. C'est le père de la négritude. C'est le poète dont Anta Diop dit qu'il est « le plus grand peut-être de notre temps ». C'est l'auteur du *Discours sur le colonialisme*. C'est l'orfèvre de *La tragédie du roi Christophe* (je demande trop aux hommes... pas assez aux Nègres). C'est le ciseleur d'*Une saison au Congo* ou encore d'*Une tempête*. C'est l'auteur de tous ces plaidoyers virulents pour l'émancipation du Noir, de toutes ces critiques acerbes des systèmes coloniaux.

Soyons clairs pour ceux qui pourraient faire des déductions simplistes. Aimé Césaire ne prétend pas qu'il n'y a pas eu d'amazones au Dahomey. Il ne dit pas qu'il n'y a pas eu de princes au Ghana ou de docteurs à Tombouctou. Mais il réfute l'idée selon laquelle nous serions tous pétris de la même bravoure, de la même dignité et de la même science. Il ne veut point que la gloire de nos ancêtres masque nos propres bassesses, nos limites actuelles. Que nous nous endormions sur les lauriers de notre passé et que nous accusions l'Occident d'être la seule cause de tous nos malheurs passés et actuels.

Ce passé récent de cireurs de chaussures et de champions d'endurance à la chicotte est à peine évacué. Nous tombons dans un présent qui inspire encore moins de fierté.

44. *Ibid*, p. 38.

Je pense pour ma part que le type qui inspire le moins la fierté à l'Afrique aujourd'hui, c'est un homme qui avait tout pour plaire et pour réussir ; un homme dont tout le continent et même toute la nègrerie ont été grandement et légitimement fiers il y a un petit quart de siècle, quand en 1980, il a réussi à sortir son pays du colonialisme. Il s'agit de Monsieur Robert Mugabe, président du Zimbabwe. Personne n'oubliera le cri de joie et d'espoir poussé par Bob Marley à l'occasion de l'indépendance du pays.

À propos de Mugabe, le journal *L'Autre Afrique*, dans l'éditorial de son quinzième numéro[45], rejoint Césaire dans son refus de légitimer les bassesses présentes par les gloires passées. « Un pays ne peut appartenir éternellement à une catégorie de citoyens, sous prétexte que ceux-ci l'ont libéré du joug de l'oppresseur. »

Dans les années 1980, le Zimbabwe était jugé prospère par tous les observateurs, avec des exportations supérieures aux importations et des rendements agricoles très élevés, une industrie d'un bon niveau de développement. Cette description correspondrait à n'importe quel pays développé. Certes, les inégalités entre les Noirs et les Blancs étaient astronomiques et inacceptables, et le nouveau gouvernement avait la lourde tâche de rééquilibrer les choses. Non seulement le sieur Mugabe n'a rien rééquilibré du tout, mais il a réussi à mécontenter tout le monde : le parti frère pendant la lutte pour l'indépendance, dont il a viré le chef, Nkomo, du gouvernement et instauré la dictature du parti unique ; les Noirs à qui il n'a rien apporté ; les Blancs qu'il a choisis comme boucs émissaires de son échec ; les homosexuels qu'il juge diaboliques. Etc. Ainsi, la nation prospère des années 1980, a rejoint la tête du peloton des pays qui se développent à reculons.

Et vous voudriez que j'en sois fier !

Tous les présidents africains caressent le rêve de l'éternité et de la démiurgie, convaincus jusqu'à la folie furieuse et des-

---

45. *L'autre Afrique*, n° 15, 20 février-5 mars 2002.

tructrice, qu'ils sont les pères ou les sauveurs de la nation et ne doivent jamais quitter le pouvoir. Le plus drôle, mais tout aussi inquiétant – s'agirait-il d'un mal qui comme la drépanocytose ou les fibromes ne frapperait que les Noirs ? – est que beaucoup de nos crypto-révolutionnaires noirs à la petite semaine qui hantent les lieux blacks de Paris et vitupèrent les régimes africains, dès qu'ils sont présidents d'une rampante, microscopique et inopérante association à caractère tribal ou ethnique, s'accrochent à ces inutiles fauteuils pendant des décennies, longtemps après que tous les membres les aient désertés à cause de leur inutilité. Au passage, avec la complicité du trésorier, ils pillent la caisse maigrichonne et poursuivent un règne solitaire sur leur fragile trône en peau de ridicule.

En Afrique, la jeunesse désœuvrée ne rêve que d'Europe ; la jeunesse active s'active dans la corruption.

En l'état actuel des choses, si les Blancs abandonnaient l'Europe aux Africains et s'installaient en Afrique, quelques années plus tard, l'immigration se ferait en sens inverse. L'on aurait pu croire que cette idée était encore une blague négrophobe, une de plus. Mais la situation du Zimbabwe est là pour nous prouver que ce n'est pas qu'une blague et que la réalité peut parfois dépasser la fiction.

La fierté noire n'est plus ce qu'elle était au temps des pyramides, des amazones, de la reine Pokou, de Samory le Malinké, de Soundiata Keita, de Chacka ou de Tombouctou. Elle n'est pas encore ce qu'elle doit être.

Cheik Anta Diop, répétons-le, a eu beaucoup de mérite à prouver que l'Égypte antique et l'origine de la civilisation humaine étaient nègres. « Tous les témoins oculaires affirment formellement que les Égyptiens étaient des Nègres. Hérodote à plusieurs reprises insiste sur le caractère nègre des Égyptiens[46]. » Il a soulevé un sacré tollé dans l'hémisphère Nord qui ne saurait accepter que ceux qui sont supposés n'avoir jamais rien apporté à la civilisation, revendiquent la

---

46. Cheich Anta Diop, *Nations nègres et culture*, Éditions Présence africaine, Paris, 1979, p. 35.

paternité de cette même civilisation. Pour une fois que nous avions au bout d'un stylo un réel motif de fierté, on nous l'a contesté. Mais les démonstrations de l'écrivain sont tellement pertinentes et tellement argumentées, s'appuyant sur tous les chroniqueurs antiques, notamment ceux de la Bible, que seule la mauvaise fois et le désir de dépouiller les Noirs de toute valeur, a poussé certains esprits chagrins à les contester.

Malheureusement, aujourd'hui, comme pris de folie furieuse, de chimériques écoles de pensée négro-radicales dont certaines se réclament d'ailleurs du pauvre Cheick Anta Diop qui se serait bien passé de cette encombrante descendance, revendiquent tout ce qui a bougé dans le sens du progrès de l'humanité. Ils n'en sont pas encore à récupérer Einstein, Nostradamus, Platon ou Socrate, mais Jésus, Marie, Joseph, tous ces Sémites bon teint seraient des négroïdes pur jus. Pour ma part, je n'irai pas chercher ma fierté dans les fantasmes et je voudrais qu'elle soit là, terre-à-terre, actuelle. Je voudrais la cultiver sur les rives de la Seine, de la Marne et de l'Oise

En attendant ce grand soir, je ne suis pas fier.

Je ne suis pas fier des débats sur l'ivoirité ; je ne suis pas fier de voir les jeunes Noirs mourir au large des côtes marocaines et espagnoles, essayant d'atteindre le paradis européen ; je ne suis pas fier qu'ils soient acculés à cette extrémité à cause de la déliquescence des économies africaines ; je ne suis pas fier quand je vois chaque année, des dizaines de chefs d'États africains monter à Paris pour rendre hommages et comptes à leur seigneur et maître, l'un ou l'autre proclamant avec une fierté sans fierté, qu'il a été élu meilleur élève ; je ne suis pas fier que ces hommes d'État fassent preuve de si peu de fierté, et la pauvreté ne saurait être une excuse. Je ne suis pas fier que le peuple noir soit traité depuis des siècles comme un sous-peuple et qu'il ne trouve pas les moyens de faire changer les choses.

Je ne suis pas fier que nous soyons obligés de crier que nous sommes fiers.

Je ne suis pas fier de cette fraternité et de cette solidarité de façade que les Africains et les Noirs en général exhibent comme des blessures de guerre, élans exprimés dans la misère et le malheur communs d'avoir été colonisés, esclavagisés. Fraternité factice et insipide que les Noirs se servent mutuellement par grandes louchées. Et puis un jour, quelqu'un vous rappelle à juste titre que les Noirs ont été vendus par des Noirs. (Je continue à dire que cela ne justifie ni la Traite, ni le Code noir, ni la déshumanisation du Noir. Mais cela reste hélas, un fait !). Plus de fraternité du tout quand le Gabon expulse avec une sauvagerie inouïe, tous ses immigrés camerounais, des dizaines de milliers d'hommes, de femmes et d'enfants dont le seul tort se résume au fait que l'équipe nationale de football du Cameroun a battu celle du Gabon à Libreville (qu'aurions-nous pensé si les Français avait fait la même chose aux Sénégalais qui ne sont même pas leurs frères !) ; plus de fraternité du tout, quand pour le moindre prétexte, le Nigeria chasse avec barbarie et ratonnades, des dizaines de milliers de travailleurs noirs, *donc frères*, venus de pays voisins, souvent installés depuis de longues années, sans aucune explication.

L'Afrique est le plus vieux des continents, mais par une mutation désespérante et inespérée, elle est devenue terre des jeunes nations. Vous me direz que cette jeunesse, ce rajeunissement spontané, se rapportent à l'âge politique de ses nations par rapport au monde occidental et à ses vieilles démocraties. Je n'en suis pas si sûr, d'autant plus que l'Afrique revendique des démocraties plus anciennes. C'est l'esprit même du Noir, sa capacité à réfléchir, son degré d'évolution au sein de la race humaine qui sont infantilisés. Prenons l'exemple du sport.

L'Afrique est un continent où le ballon est roi. Elle a fourni de grandes vedettes au football mondial. Malgré les réticences de l'Occident, aujourd'hui, cinq pays représentent ce continent en coupe du Monde. Le Cameroun et le Nigeria ont déjà remporté la médaille olympique, trophée mondial majeur. À la coupe des Confédérations de juin 2003, le Cameroun, après avoir battu le Brésil, roi du football planétaire et vainqueur de la dernière coupe du Monde, après avoir battu la Turquie, troisième équipe de la dernière coupe du Monde, après avoir battu ses quatre adversaires (aucune défaite, pas un seul but encaissé) a été digne finaliste contre la France, et n'a perdu qu'aux prolongations, après un match d'une qualité rare, malgré le chagrin causé par la mort brutale de l'un de ses joueurs, Marc Vivien Foe, survenue quelques jours plus tôt en pleine compétition, en direct sur le stade. Dans de telles circonstances de tension et d'émotion extrêmes, je ne connais pas une nation qui aurait fait mieux, Italie, Allemagne, Brésil, Argentine ou Angleterre !

La quasi-totalité des joueurs internationaux africains fait les beaux jours des plus grands clubs du football occidental. Dans ces clubs, on trouve aussi beaucoup d'enfants français issus de l'immigration noire. L'équipe de France pourrait aligner exclusivement des joueurs noirs – Africains, Domiens –, sinon les immigrés d'origine noire africaine. Les Dessailly, Vieira, Govou, Makelele, Boumsong, Kapo ou encore Cissé pour ne citer que ceux-là, sont des internationaux français aux racines africaines. Cependant, l'Occident continue à considérer le football africain comme juvénile et les Africains – essentialisation quand tu nous tiens ! – surenchérissent.

À la dernière coupe du Monde de football organisée en 2002 par la Corée et le Japon, le Sénégal a battu la France en match d'ouverture. Cette victoire a été jugée miraculeuse par la presse occidentale et internationale en général, l'Afrique n'étant pas la dernière à multiplier les superlatifs. Ce succès ne devait pourtant rien au miracle ou au hasard. N'oublions pas que tous les joueurs sénégalais, à l'exception d'un seul, évoluaient dans les meilleurs clubs européens. Au lieu de protester contre cette coupable infériorisation de son pays, le président sénégalais est sorti dans la rue pour danser le *mbalax* – autre élément d'essentialisation : les Noirs auraient la danse dans la peau – avec le peuple, toutes classes sociales et tous âges confondus, parce que le club Sénégal avait rempli sa mission en battant la mère patrie France. Les *boys* pouvaient même rentrer au bercail.

Après un début de parcours époustouflant, digne de leur classe internationale, les joueurs sénégalais se sont laissés éliminer honteusement, piteusement, misérablement, sans aucun mérite, par un petit pays presque tiers-mondiste, la Turquie. Ils étaient convaincus, avec l'appui de leur président et de tout le monde médiatico-essentialisateur, pour avoir battu la France et être arrivés en quarts de finales, d'avoir rempli leur mission. Le Cameroun et le Nigeria avaient été victimes du même complexe et toujours au niveau des quarts de finales, quelques années auparavant.

Les Sénégalais passaient désormais leur temps de sommeil et d'entraînement à danser – essentialisation, essentialisation –, parce que c'était l'image que le monde entier attendait qu'ils renvoient. On les voyait danser partout, sur les terrains d'entraînement, dans les chambres d'hôtels, dans les bars. Les caméras traquaient le moindre pas de danse, le moindre triple salto de *mbalax*, le plus petit entrechat de *soukous*, les ensorcelants tournoiements de fesses du *mapouka* serré, les transes du *ziguilibiti*. Et je commençais à me demander si tout ce monde ne se trompait pas d'événement. S'agissait-il encore de la coupe du Monde de football ou alors étions-nous passé à un festival des danses nègres au pays du soleil levant.

Pendant ce temps, les Brésiliens, grands danseurs de samba devant l'Éternel, organisateurs et animateurs du plus grand carnaval du monde ; pendant ce temps, ces enfants du vaudou dahoméen, descendants de l'Afrique, savaient qu'il y a un temps pour chaque chose : un temps pour la danse et un temps pour la concentration ; ils savaient qu'ils avaient au bout de leurs crampons, l'honneur d'un pays à défendre.

Après la piètre défaite, sans gloire aucune, les lions de la Teranga sans griffe ni croc ont fait un absurde, éhonté et inattendu tour d'honneur dans le stade, sous les ovations du public. Le monde entier célébrait l'honnêteté de ces éternels enfants qui reconnaissaient ne pas être à leur place à ce rendez-vous des grands; qui s'étaient comportés non comme des lions ou des guerriers, mais comme des gosses irresponsables et capricieux, des gamins incapables de comprendre les enjeux symboliques d'une coupe du Monde de football.

Qui oubliera jamais une certaine nuit blanche de juillet 1998, la marée humaine, symphonie colorée en « black-blanc-beur » – on a même cru que cet événement allait mettre fin au racisme et aux ségrégations –, la descente des Champs-Élysées après la victoire des Bleus, comme en 1945. Je me souviens de cette danse que nous avons improvisée sur le Périphérique nord. Je me souviens de tous ces inconnus que j'ai embrassés, de ce type qui me confessait son racisme enterré cette nuit-là, la larme à l'œil; de ma voix que j'ai perdue pour quelques jours, après avoir braillé comme un forcené dans ce salon inconnu où je m'étais retrouvé je ne sais comment, à boire de la bière tiède et à exécuter des danses chaudes...

Quand on a lu *Horace*, la pièce de théâtre de Corneille, et je suis certain que le président du Sénégal, Monsieur Wade homme de grande culture et pour lequel j'ai beaucoup d'admiration à cause de sa fidélité par rapport aux idées, l'a fait, on devrait savoir que comme les combats singuliers de jadis, le football et le sport en général sont désormais les batailles des temps de paix, les batailles des peuples civilisés; que le football et le sport en général peuvent rapporter des honneurs et d'immenses butins de guerre aux vainqueurs.

Après cette piètre sortie, la presse française a acclamé le succès et l'honneur de *toute l'Afrique*, à travers le quart de finale sénégalais, innommable de nullité, tellement le jeu des Noirs était de basse qualité. Certains ont même dit que le Blanc entraîneur leur avait demandé de lever le pied, parce qu'ils étaient montés assez hauts pour une équipe africaine et que c'était suffisant. Quand la toute petite Corée – footbalistiquement parlant – est tombée devant les mêmes Turcs en demi-finale, c'est toute la nation coréenne qui a fondu en larmes de ses nobles yeux bridés. À ce moment, personne n'a parlé de la performance de l'Asie tout entière à travers le parcours coréen, pas plus que personne n'a dédié la victoire brésilienne aux Amériques. De tous les matchs de la coupe du Monde, seule la *défaite* du Sénégal sorti piteusement en quart de finale, est devenue la *victoire* continentale de l'Afrique.

Et vous voulez que j'en sois fier !

Pour finir, le seul peuple en France dont les produits (alimentaires, esthétiques...) sont vendus par d'autres, est le peuple noir ! Les Arabes et Maghrébins vendent merguez, harissa, halal et autres ; les juifs vendent kasher. Je ne suis pas fier qu'il ait fallu que les *boat people* débarquent en France pour que la négraille française inattendument amorphe, se mette enfin à manger exotique. Au passage, ce sont des millions de chiffre d'affaires qui sont raflés par les Asiates.

Pour finir vraiment, revenons à notre chère France et au regard qu'elle pose sur les immigrés noirs, originaires de ses ex-colonies. Il est vrai que le Noir est stigmatisé partout dans le monde et qu'il continue à être une race jugée subalterne. Cependant, la condition actuelle dans laquelle macère l'Afrique est peut-être la cause la plus profonde du maintien de ce statu quo en France et dans le monde. Voici une anecdote qui permettra de vous faire comprendre mon propos. En plus, elle risque de vous faire rire !

Un jour, mon épouse et moi sommes allés chez un buraliste acheter des timbres. Comme nous étions seuls devant le guichet, la femme au comptoir vaquait à des occupations qui ne réclamaient aucune urgence comme d'essuyer les verres ; elle discutait allègrement avec les clients du bar et nous ignorait avec panache. Nous étions jeunes, nous étions noirs, nous n'étions rien. Par une subite inspiration, ma femme a interpellé la buraliste, en un anglais fort approximatif d'ailleurs, en affectant un accent américain assez bien imité. En entendant l'interpellation courroucée et en américain, la simplette est venue vers nous en trottinant, la bouche pleine d'excuses moitié anglais (*sorry, sorry,* qu'elle prononçait

149

souri, souri), moitié français (oh! excusez-moi). Après avoir été servie, ma femme a éclaté de rire et de son plus bel accent bantou, a dit à la cafetière : « Je vous ai bien eue, ma petite dame ! » Et la pauvrette, rouge de colère et de honte d'avoir été abusée par de *simples* Africains s'étant fait passer pour des *Américains*, lui a crié : « Oh ! Sale macaque ! »

Pour toutes ces raisons et bien d'autres que la seule pudeur m'empêche d'étaler ici aux yeux des étrangers, je ne suis pas fier et en attendant, vous pouvez continuer à l'être sans moi.

Mes frères !

Mais non, nous ne finirons pas sur cette note pessimiste, car pour le Noir, il y a un vaste espace en jachère de civilisation à conquérir. Cet espace se situe entre les jérémiades – qu'elles soient justifiées ou non, elles sont restées stériles jusqu'à ce jour – et les cris de fierté.

Beaucoup d'écrivains noirs ont abordé le thème du rôle unique qui est réservé au Noir dans la restauration d'une civilisation qui serait en total déclin. Nous avons vu les conclusions de Cheick Anta Diop selon lesquelles, la race nègre aurait la paternité de la civilisation et des réalisations de l'Égypte pharaonique. Aujourd'hui, les écrivains noirs pensent que le Noir peut et doit à nouveau jouer ce rôle. Nous en citerons quelques-uns, dont les pères de la négritude.

Césaire donne le ton dans le *Cahier d'un retour au pays natal*. Après avoir constaté que « la terre déserte davantage la terre »[47], il nous invite à écouter.

« Le monde blanc
Horriblement las de son effort immense
Ses articulations rebelles craquer…
Ses raideurs d'acier bleu transperçant la chair mystique
Écoute ses victoires proditoires trompeter ses défaites
Écoute aux alibis grandioses son piètre trébuchement.

---

47. Aimé Césaire, *Cahier d'un retour au pays natal*, Éditions Présence africaine, Paris, 1983, p. 46.

Pitié pour nos vainqueurs omniscients et naïfs[48]. »

Après avoir fait le constat de la décadence de la vieille civilisation, il pense qu'il est indispensable que : « La vieille négritude progressivement se cadaverise[49]. »

Mais la révolution doit être totale.

« Nous ne chanterons plus les tristes *spirituals* désespérés
Un autre chant jaillit de nos gorges[50]. »

La mission du Noir devient claire et peut donc commencer.

« Nous pensons que, au lieu de nous aligner sur vos schèmes, nous pourrions vous apporter du sang neuf, substantiellement, nous pourrions vous enrichir[51]. »

Axèle Kabou pense la même chose quand, dans son livre intitulé *Et si l'Afrique refusait le développement*, elle invite l'Afrique à changer la civilisation, pour elle-même et pour le monde entier.

La conclusion à propos de la mission salvatrice de l'Afrique reviendra aux pères de la négritude. Césaire est formel.

« Il n'est point vrai que l'œuvre de l'homme est finie
Que nous n'avons rien à faire au monde
Que nous parasitons le monde
Qu'il suffit que nous nous mettions au pas du monde
Mais l'œuvre de l'homme vient seulement de commencer...
Et aucune race ne possède le monopole de la beauté, de l'intelligence, de la force
Et il est place pour tous au rendez-vous de la conquête[52]. »

Et Senghor détermine la place de l'Afrique sur cette plateforme civilisatrice à laquelle tous les peuples sont invités. L'Afrique verticale dans sa tumultueuse péripétie est un peu à part, mais à portée du siècle comme un cœur de réserve pour apprendre le rythme au monde défunt des machines et des canons.

---

48. *Ibid*, p. 48.
49. *Ibid*, p. 59.
50. Jacques Roumain, *Bois d'ébène, poèmes*, Port-au-Prince, H. Deschamps, p. 13.
51. Alioune Diop, *Conférence du centre international*, Bruxelles, 4 mars 1960.
52. Aimé Césaire, *Cahier d'un retour au pays natal*, Éditions Présence africaine, Paris, 1983, p. 57.

Voilà la place que le Noir en général et le Noir africain en particulier doivent occuper au rendez-vous des peuples, apporter aux civilisations mécaniques ce supplément d'âme que tout le monde lui reconnaît. Mais qu'en est-il aujourd'hui des Noirs de France?

Avec une mission locale – dispositif chargé de l'insertion professionnelle des jeunes de 16 à 26 ans –, nous tentons aujourd'hui une expérience pour améliorer l'employabilité des jeunes issus de l'immigration noire-africaine. Au-delà de tout racisme, ces jeunes présentent généralement des caractéristiques qui les rendent peu attractifs aux yeux des patrons. En plus du handicap de formation – caractéristique commune du public des missions locales où les jeunes issus de l'immigration représentent souvent plus de 90 % de l'effectif –, ils affichent des mines tellement patibulaires que leur propre père hésiterait à les mettre face à ses machines, dans un bureau ou dans un atelier. Leur style vestimentaire, leur langage, leur comportement sont purement iconoclastes et extrêmement rébarbatifs.

L'expérience que nous mettons en place est de nous appuyer sur certaines valeurs africaines pour aider ces jeunes à améliorer leur aspect et leur employabilité. Ces valeurs que l'on reconnaît le plus aux sociétés africaines sont le respect et l'obéissance envers l'aînesse et l'autorité. À ces valeurs morales, s'ajoutent généralement, l'élégance, le rythme et la culture orale qui sont sensés conférer une capacité spécifique à communiquer. Comment faire accepter ces valeurs aux jeunes issus de l'immigration et par extension à toute la société française où elles sont en perte de vitesse, notamment les valeurs morales? En outre, l'exploitation de ces valeurs, en plus du fait qu'elles amélioreraient l'employabilité des jeunes, permettraient qu'ils se réconcilient avec cette Afrique enfin porteuse de positivité, mais qui leur apparaît aujourd'hui stérile et humiliante.

Voilà une valable contribution de la population noire de France à l'évolution de la société. Si on y ajoute les exhortations des pères de la négritude, on se dit qu'il existe un espace réel entre les lamentations fort légitimes et la fierté peu justifiée. Qu'il existe un espace qui peut conduire le peuple noir à reconquérir sa fierté. Il suffit de l'occuper.

IX - JE SUIS NOIR ET JE ME SOIGNE

Un Noir, sans doute un Falasha, juif d'Éthiopie, entre dans une synagogue de Sarcelles et s'abîme en prière. Un de ses frères, juif mais blanc, ne peut se retenir :
« Cela ne te suffit donc pas d'être noir ! »

Parfois, à voir les efforts que certains continuent à faire pour éviter le Noir dans l'ascenseur, pour ne pas s'asseoir à côté de lui dans les transports en commun et même à l'église, j'ai l'impression que non seulement être noir s'affirme comme une maladie, mais qu'en plus c'est contagieux ou nocif.

À voir la condescendance mièvre avec laquelle certains vous abordent, la douceur du regard que l'on pose sur vous, les mots que l'on utilise pour s'adresser à vous, comme pour vous amadouer, les excuses que l'on trouve au Noir quand il a fait une bêtise, je me dis que le Noir doit être un handicapé, un grand malade ou un déséquilibré dangereux.

155

Bon, d'accord! Je suis noir, c'est vrai, mais je me soigne.
Pour la grande majorité des Français blancs, les millions de Noirs vivant en France sont handicapés. En effet, personne ne peut nier qu'être Noir en France est un lourd handicap. La ségrégation sévit dans toutes les sphères de la société : médias et télé en tête, église, embauche, orientation scolaire, responsabilités politiques.

À propos de politique, je ne peux m'empêcher de relater cette anecdote assez significative. Quand l'ébénique Kofi Yamgnane est devenu maire de la minuscule commune de Saint-Coulitz en Bretagne, celle-ci dénombrait 390 habitants au compteur censitaire 1999! Pas un de plus! Pas de quoi fouetter un honorable crocodile bassar du Togo! Quand le noir Monsieur est devenu maire, cet événement a tenu le haut de l'affiche médiatique pendant des mois. On avait l'impression que la France venait de connaître le plus important chambardement social, sinon depuis la prise de la Bastille, du moins depuis la Libération, ou au bas mot, depuis la prise du pouvoir par la gauche mitterrandienne. On avait l'impression qu'un singe savant venait de franchir une étape supplémentaire dans la manifestation de son intelligence. Les Noirs de France et d'Afrique ont bombé le torse de fierté. Un maire noir en Gaule, par Toutatis et Ngakoura réunis! Incroyable mais vrai. Nous étions alors convaincus que dans aucun autre bled français, on ne pouvait trouver de maire d'origine étrangère. J'étais, je l'avoue, l'un des plus grands thuriféraires de ce séisme social. *Mea maxima culpa.* Dois-je rappeler qu'aux États-Unis, les Noirs, qui représentent 10 % de la population, comme les Noirs de France, et certainement pas beaucoup plus doués ni plus méritants, peuvent être presque tout ce qu'ils veulent quand ils en ont les capacités : maire de grandes villes, plus proches et plus médiatiques collaborateurs du président comme Colin Powel et Condoleeza Rice ; autre chose qu'un mairaillon du monde rural.

Quelques années plus tard, à l'occasion des événements de la guerre busho-sadamienne, on nous a présenté un médecin d'origine irakienne, maire d'une petite commune du Midi. Pour tout le monde, cet homme était un maire tout à fait banal, comme on en trouve plus de 36 000 en France. Seuls les événements en Irak avaient conduit à rechercher des personnalités d'origine irakienne implantées en France, et à mettre ainsi cet homme sur le devant de la scène médiatique pendant à peine cinq minutes. Un Mésopotamien possède une culture d'origine probablement islamico-babylonienne, aux antipodes de la judéo-chrétienté française. Mais je me suis rendu compte que ce médecin était plus *normalement* français qu'un autre, d'origine africaine, né français parce que, avant les indépendances, francophone et chrétien, il a chanté la *Marseillaise* et « *nos ancêtres les Gaulois* ».

Quand, dans certaines motions du Parti socialiste, je vois la proximité qui existe entre les handicapés et les immigrés, je me dis qu'il est des juxtapositions stylistiques, conscientes ou inconscientes, qui ont plus d'éloquence que le meilleur des discours. Elles affichent les convictions de leurs concepteurs avec plus de clarté qu'une radiographie médicale.

Le Parti socialiste n'a pas l'apanage des juxtapositions ou des qualificatifs douteux. Avant de lâcher sa meute contre les réfugiés mélanésiens de la grotte d'Ouvéa en Nouvelle-Calédonie, la droite de la première cohabitation, doutait de l'humanité de ces hommes et les assimilait plutôt à des bêtes. Césaire nous avait prévenus. Seulement, il en parlait comme d'une époque révolue quand il disait dans le *Cahier d'un retour au pays natal*, que « ce pays cria pendant des siècles que nous sommes des bêtes brutes ; que les pulsations de l'humanité s'arrêtent aux portes de la nègrerie[53]. »

Malade ou bête, le choix n'est pas simple.

L'on retrouve parmi les gens de l'Église les mêmes comparaisons inconscientes. Monseigneur Lustiger, ci-devant grand prélat de Paris, exhortait ses ouailles dont moi-même,

---

53. Op. cité, p. 38.

à la tolérance et à l'amour du prochain, que le Christ nous a laissés comme le plus grand commandement. Il disait en substance : « Il ne faut rejeter personne. Tous les hommes sont des créatures de Dieu, même s'ils ont le sida, même s'ils sont noirs. »

Cham, lève-toi, tes enfants sont malades.

En écoutant l'homme d'Église, on peut se féliciter car les choses ont évolué dans le bon sens. Maintenant, même s'il est un malade, le Noir est quand même devenu un homme et l'on peut espérer que l'Église finira bien un jour par accepter que la nègrerie n'est ni assimilable ni comparable à une maladie. J'affirme que les choses ont évolué dans le bon sens, parce qu'il fut un temps où, pour justifier la traite des Nègres, les exégètes de l'époque, sur la foi des Écritures, décrétèrent que la peau des Africains était si noire que l'on ne pouvait imaginer qu'elle hébergeât une âme. Le problème est que l'on a fait mentir la Bible, puisque nous perdions même le mérite d'être d'humains descendants de Cham, pour être désormais, afin de servir la cause des esclavagistes, assimilés comme Mademoiselle Saartjie Baartman, la Vénus hottentote, à des bêtes sans âme. Aujourd'hui, nous ne sommes que des handicapés.

Je dis donc qu'il y a espoir.

Les curés de mon enfance, pas si lointaine d'ailleurs, ont très fortement influencé mon regard sur les races et m'ont convaincu de la supériorité de la race blanche. Ils avaient toujours une belle histoire pour illustrer ou expliquer telle tare des Noirs ou de manière générale, la malédiction qui plane sur eux. Ainsi, j'ai appris l'histoire de Cham, l'un des fils de Noé. Mais j'ai surtout appris pourquoi les Noirs étaient noirs.

Quand Dieu a eu créé les hommes, ils étaient tous sales, donc noirs. Dans cette version de la Création différente du mythe d'Adam et Ève, Dieu a créé une multitude en un jour. Comme ils étaient sales, il leur a demandé d'aller se laver dans le lac qui jouxtait le paradis terrestre. De même que dans une portée de lions, d'aigles ou de lapins, il y a les petits costauds et il y a les petits malingres, chétifs, malades, et la divine portée avait ses costauds et les autres.

Au divin signal pour le bain collectif de la Création, les bien-portants et vigoureux ont filé vers le lac. Ils étaient tellement nombreux qu'ils ont asséché le point d'eau. Quand les malades sont arrivés, les ratés de la Création, les pelés, les galeux, les ânes, il n'y avait plus assez d'eau pour un décrassage complet. Ils ont juste pu tremper les paumes de leurs mains et les plantes de leurs pieds dans les flaques d'eau restantes.

Nous l'avons vu, il n'est pas facile d'être Noir aujourd'hui, pas plus qu'hier d'ailleurs. Mais pour que demain soit différent, nous nous soignons. Chacun à sa manière ; chacun avec ses moyens. Voici un petit lexique non exhaustif des traitements les plus courants, répertoriés à ce jour.

La méthode la plus courante, notamment chez les femmes, c'est la *michael-jacksonisation*, du nom du porte-parole de ce procédé. Il ne s'agit plus des *Jackson Five*, car cette *Jackson family* se compte par dizaines de millions de membres, tellement le phénomène est répandu en Afrique. Il s'agit de la conviction puérile, quasi pathologique, désespérée et tout aussi désespérante, que l'on peut passer du Noir au Blanc et du jour au lendemain par le décapage de la peau, le raidissement des cheveux et le recours à la chirurgie esthétique. Bambi n'a pas lésiné sur les moyens et quand on voit le résultat, on se dit qu'il est inversement proportionnel aux moyens engagés.

Les adeptes de Bambi sont nombreux dans le milieu noir-africain de Paris et du continent d'origine. Beaucoup de femmes de tous les pays africains et des hommes de la République Démocratique du Congo utilisent, chacun selon ses moyens, des décapants plus ou moins sophistiqués, allant de l'indécrottable savon *asepso* nigérian, mélangé à de la glycérine, procédé plutôt artisanal, à de puissants corticoïdes fortement cancérigènes. Le résultat est vraiment drôle, parfois navrant. Ils se font de petits minois simiesques, avec des lèvres qui restent noires, de jolies petites oreilles qui restent noires, des phalanges ébéniques. Pour compléter cette auto-flagellation, les femmes se mettent des perruques ou des mèches de cheveux de Blanc, aux formes et aux couleurs si bizarroïdes que l'on se demande quel esprit mesquin a bien pu les concevoir.

Quand, dans un entretien accordé au journal *Amina*[54], la romancière Calixte Beyala répondant à une question sur « le blanchissement de la peau par certaines femmes noires » compare cet acte au bronzage estival des Blancs, on se dit que cette femme n'est pas bien ou alors qu'elle n'est pas mal. La littératrice guerrière démarre sur les chapeaux de la langue avec des accents courroucés : « Je commence à en avoir un peu assez de ce que l'on dit de la femme noire. » Après ce démarrage qui sent le réchauffé, sinon le prédigéré, notre chevalière de la défense de la femme africaine poursuit : « Je ne pense pas qu'en s'éclaircissant la peau, les femmes africaines veulent ressembler aux Européennes... Ce n'est pas parce que les Blanches se bronzent qu'elles veulent devenir ou ressembler aux Noires. » Et voilà qu'elle tombe dans le piège qui consiste à conditionner l'action du Noir à celle du Blanc : si le Blanc le fait, pourquoi pas le Noir ? Encore qu'ici, la comparaison soit totalement dénuée de bon sens.

Calixte Beyala, qui a grandi au Cameroun, a quand même assez de mémoire pour se souvenir de la place du *Ntañan* comme on dit chez elle, de la place du Blanc dans l'inconscient collectif de son peuple. Elle sait que le Blanc y est l'étalon de la beauté, de la richesse, de tout ce qui est positif ; que bien des filles de son origine *beti* de tous les *nvog* (clan) des provinces du Sud, se damneraient pour sortir avec un Blanc, synonyme de beauté, de richesse, de tout ce qui est positif ; que dans certains peuples (les Dschang notamment, nous dit-on), pour la fille au teint clair, la dot à la

---

54. *Amina*, n° 383, mars 2002, p. 18.

camerounaise – ce que le prétendant donne à la famille de la fiancée – est très élevée; qu'un dicton local *bassa* proclame que la personne au teint clair triomphera au hit-parade de la beauté.

Le phénomène d'occidentalisation physique chez les Noirs d'Afrique est tellement répandu, que le mensuel *Amina, le Magazine de la femme* qui publie l'entretien avec Madame Beyala, première publication à destination de la femme africaine et caraïbe, tire la quasi-totalité de sa publicité des produits qui « illuminent et clarifient le teint » et sur les produits capillaires « défrisants ». Et pour que le rêve soit total, le reste de l'espace publicitaire est globalement occupé par les annonces de médiums, marabouts et autres voyants qui promettent l'amour et la richesse; vient enfin le courrier des Africaines vivant en Afrique qui cherchent un mari blanc.

La crinière de Beyala qui dégouline en cascades torsadées encadrant son doux sourire et son beau visage (non décapé), pourrait d'ailleurs servir de publicité à ces produits capillaires, car elle ne laisse aucun doute sur le modèle dont elle s'inspire. On y voit plus les perruques des précieuses (ridicules ou non) que les tresses gondolées des amazones du roi du Dahomey ou la coiffure afro d'Angela Davis.

L'écrivaine (comme on dit aujourd'hui) reproduit ici cette espèce de sensiblerie mièvre, ce revanchardisme rikiki, cet intellectualisme agaçant que l'on rencontre chez certains Nègres, attitude qui les pousse désormais à contester tout, même l'évidence sociologique et historique. Nous l'avons vu, certains vont jusqu'à négrifier l'incontestable sémite qu'est le Nazaréen Jésus-Christ ainsi que sa mère. C'est vous dire!

Des Noirs moins farfelus que les dermoblanchisseurs, les lippomincisseurs, les nasorétrecisseurs et les capiloraidisseurs, mais tout aussi déterminés à blanchir, adoptent des méthodes plus discrètes et plus performantes. Ils épousent des personnes de race blanche, tout simplement. Il fallait y penser! Le mariage d'un Noir avec une personne de race blanche, c'est la certitude que, dans quelques générations, la branche familiale qui aura poursuivi sur cette voie salvatrice, deviendra entièrement blanche et si le nom n'est pas francisé au passage, le jour viendra où l'on verra en France de purs causasoïdes Koulibally, Atangana, Kakoko ou Diarra.

Je me souviens de cette dame noire assez métissée qui avait épousé un Blanc. L'homme s'était converti à l'islam pour les beaux yeux de sa dulcinée sénégalaise. Ils ont eu un superbe garçon dont la couleur de peau était comme blanche si l'on ne regardait pas de trop près. Afin que rien ne manquât à sa *transracialisation*, la nature l'avait doté d'une tignasse presque aussi rousse que celle de son géniteur breton. L'homme, avec la fougue des néophytes, a voulu coller un prénom arabesque à son fils. Son épouse a bondi, horrifiée. « Écoute, chéri, a-t-elle dit en substance à son Don Quichotte de mari, la nature me l'a fait presque blanc. Alors, je n'ai aucune envie d'hypothéquer ses chances en le singularisant par un prénom qui va tout remettre en cause. Tu le vois se nommer Dupont Rachid ou Dupont Mouloud? Le nom de mon fils ne sera jamais un gag, tu peux compter sur moi. Non mais! »

La méthode des épousailles mixtes, blanchisseuses de lignée, c'est le camouflage, le mimétisme. C'est la technique du caméléon. Et l'on a l'impression que plus le Noir est haut placé dans la société, plus il en fait usage. Inconsciemment je présume. Regardez les grands sportifs et les intellectuels noirs de France, les hommes politiques africains qui ont étudié en Europe, sans oublier le premier citoyen de la Terre, le secrétaire général de l'ONU. Ils appartiennent à cette race d'épouseur de femmes blanches. Si c'est le hasard, il fait merveille. Qui se serait imaginé, même dans les fantasmes les plus débridés, qu'un footballeur mélanésien, ancien international français et rastaman, grand rebelle de la Kanakie devant l'Éternel, épouserait une blonde liane, l'un des plus beaux spécimens caucasiens, aux antipodes de la carrure mélanésienne?

Tout le monde parle aujourd'hui du village planétaire. Pourquoi ne parlerait-on pas de race planétaire ? Toutes les races semblent s'acheminer vers ce consensus. Les Noirs se blanchissent chacun à leur manière, les Asiates, déjà bien assez blancs, se débrident les yeux. L'apparition d'une race humaine unicolore mettrait fin à la bataille, à défaut de mettre tout le monde d'accord : entre ceux qui déclarent déjà qu'il n'existe qu'une race, la race humaine ; et ceux qui ne veulent pas en entendre parler, parce que le fondement des races humaines serait la couleur de la peau, signe extérieur d'une spécificité plus profonde, et qu'il y aurait donc plusieurs races humaines hiérarchisées. Les Africains savent très bien que les tenants de cette conception hiérarchisée et manichéenne de la race ne sont pas tous des non-Noirs et qu'en Afrique on entend souvent de parfaits mélanodermes proclamer que le Noir est un être malfaisant et que son âme est aussi noire que sa peau. Essentialisation encore et toujours !

S'il n'existe plus qu'une seule et unique race, plus de débat et plus de racisme. La façon la plus agréable et la plus sûre d'y arriver, c'est d'employer les voies naturelles, c'est-à-dire la procréation. Il s'agit de rendre les mariages mixtes obligatoires.

Tout simplement.

En effet, comme le noir est soluble dans le blanc, comme le noir se délave au contact des détergents, et en toute honnêteté intellectuelle, comme le Noir, aujourd'hui, fait tout pour blanchir, le métissage est la méthode la plus sûre pour arriver rapidement – dans 100 ou 150 ans si l'on commence par exemple le 1er avril 2004 – à l'uniformité de pigmentation de la race humaine. C'est la méthode la plus sûre de guérir l'humanité de la négrité, cette maladie millénaire.

Redevons sérieux !

Quand on prononce le mot assimilation, tout le monde crie au scandale. Les faux dévots d'un certain modèle de culturalisme hurlent comme des gorets que l'on égorge. Celui qui a grandi dans une ferme et qui a entendu le cri du cochon en agonie, celui-là et celui-là seul, sait de quoi je parle.

Il est évident que la connotation donnée à un terme a parfois plus d'importance que son sens réel et le concept qu'il véhicule. Aujourd'hui, quand on parle de sanction, qui se souvient encore que la sanction peut être punition ou récompense ?

Un jour, des âmes bien pensantes ont décidé qu'il était malsain de parler d'assimilation comme il est iconoclaste de dire Nègre, comme il est impensable de dire Noir, comme il est injurieux de dire Arabe. Un jour, on n'aura plus le droit d'appeler un chat un chat. Surtout s'il est noir ou arabo-persan !

Il est évident que l'assimilation, dans le contexte historique de la colonisation, était une horreur, parce que la France n'avait pas le droit de transformer contre leur gré, les peuples africains en Français d'Afrique. De toutes les façons, les Français n'avaient qu'à attendre patiemment, les Noirs allaient s'en charger eux-mêmes par la suite, comme ces parents noirs qui vivent en Afrique et qui exigent de leurs enfants qu'ils ne s'expriment qu'en français. Évidemment, je sais que ceci est la conséquence de cela ! Essentialisation, encore et toujours !

Qu'on fasse des réserves sur l'assimilation dans le contexte de l'Afrique coloniale, parce que c'est de l'impérialisme que de vouloir transformer les autres, cela se conçoit parfaitement. Mais qu'on me dise qu'un enfant né sur les bords de Seine ne doit pas être assimilé, c'est-à-dire qu'il ne doit pas se fondre dans le modèle culturel de son espace de vie, qu'il doit conserver ses racines, qu'il doit rester « scotché » à ses origines, alors je ne comprends plus rien. Et d'autant moins que, comme je l'ai énoncé, cette conception de la fidélité à la culture ne s'applique qu'aux enfants noirs et arabes ou maghrébins, c'est-à-dire à ceux dont la différence est *visible*, à ceux qui sont d'origine jugée inférieure et qui ont un faciès non soluble dans la couleur ambiante. Nier l'assimilation d'un enfant noir né et élevé en France ou la lui refuser, cela s'apparente à la croisade de Don Quichotte, à de l'inconscience et à du racisme.

Malgré la ségrégation raciale dont ils ont été victimes pendant des siècles, les Américains noirs sont d'abord des Américains avant d'être des Noirs. On a vu leur comportement quand ils se sont installés sur la côte ouest de l'Afrique. On voit le comportement des petits Français noirs quand ils vont passer des vacances en Afrique ; ils ne sont que fort logiquement de parfaits petits Occidentaux. Les parents qui hurlent leur traditionalisme nègre en France sont parfois pires, quand ils vont en Afrique, dans leur désir de montrer qu'ils vivent en France, avec leurs petites vestes sous la canicule camerounaise, alors qu'en France, ils veulent porter le boubou qui serait le vêtement africain.

Cette inconscience suicidaire et assassine qui pousse à nier l'occidentalité, c'est-à-dire l'assimilation des enfants français d'origine négro-africaine, est portée par les parents noirs qui ne cessent de leurs rappeler qu'ils sont des Africains, comme si l'appartenance à un groupe était héréditaire et non acquise par l'imprégnation à ce groupe. On est Africain non parce qu'on est Noir, mais parce qu'on est né en Afrique et que l'on y a été élevé. Ce n'est pas parce que Johnny Cleg est blanc qu'il est occidental. Il est aussi sud-africain que mon fils est français, et le revendique à juste titre. Il revendique même d'être zoulou et il en a le droit, puisqu'il a été élevé dans cette culture.

Les descendants des ouvriers polonais des mines du Nord et de l'Est de la France sont-ils assimilés ou non ? Sinon, qu'est-ce qu'ils sont ? Qui s'en soucie ? Personne ne s'en préoccupe parce qu'ils sont blancs, donc ils correspondent à l'image locale. Qui pousse des cris effarouchés quand Sarkozy, Balladur, Gomez, Fernandez, Platini se réclament fort logiquement de la France ? Qui leur martèle qu'ils ne doivent pas oublier leur culture, leurs racines, leurs origines, sauf à penser que la Hongrie, la Turquie, le Portugal ou l'Italie n'ont ni racines, ni cultures. Il est vrai que les Antillais sont toujours… antillais. Mais comment nommerons-nous les Noirs de l'Hexagone issus de l'immigration quand ils auront cessé d'être blacks ? Je ne veux pas imaginer que je me retournerai dans ma tombe parce que dans soixante ans, de l'au-delà, j'entendrai mon fils de soixante-quinze ans qualifié de *black*.

Pourquoi me regarde-t-on bizarrement quand je dis que je suis bourguignon ? Savez-vous pourquoi je ne serais pas un Bourguignon comme les autres ? Tout simplement parce que je suis noir et que la France n'est pas encore acquise à la multiracialité !

La France a su assimiler – et non intégrer, d'ailleurs c'est la même chose dans le dictionnaire – tous les courants migratoires *blancs* ayant frappé à sa porte. Saura-t-elle relever le pari de la multiracialité ? Saura-t-elle sortir d'une logique fébrile qui n'ose pas reconnaître qu'il y a aujourd'hui en France 12 millions de résidents qui ne sont pas des Blancs européens, mais des Maghrébins et des Noirs, ce qui représente un habitant sur cinq ; et qu'il y a désormais des salles de classes où l'on ne trouve pas un seul Français de souche ; et que c'est une réalité que l'on ne cache plus ; et que tous ces débats sur l'intégration sont obsolètes ; que tout ce qu'on demande à chaque habitant est de vivre comme on vit en France et non comme on vit dans le pays de ses lointaines origines. Le nouveau venu a bien sûr le *devoir* d'enrichir la France de ses propres richesses adaptées au modèle local et de se débarrasser du superflu et de l'inadapté. Être français, c'est être assimilé, se dissoudre dans le milieu local, se glisser dans ce que nous nommons *anonymat positif.* « Je voudrais qu'il devienne évident qu'un François se nomme Mamadou[55] » ou Moustafa.

Et voici qu'au bout de mon cri hilarant – fini le temps de rire, soyons sérieux –, je vais faire une ultime suggestion. Je

---

55. Ce cri d'espoir, je le poussais déjà dans une interview au journal *Le Jour,* 4 novembre 1993. Vous voyez donc que j'ai de la suite dans les idées !

m'appuie en cela sur les dernières dispositions gouvernementales où il est question de mettre en place un contrat d'intégration. Je me sens d'autant plus légitimé à donner mon avis sur cette disposition qui va dans le bon sens – peut-être la plus logique disposition depuis les débuts du débat sur l'intégration, dans l'évidence qu'elle véhicule –, que je la faisais déjà il y a *dix ans*. En effet, à contre-courant des idées bien-pensantes différentialistes de l'époque, voici ce que je disais au cours d'un colloque que j'avais organisé sur le thème *Immigration d'origine noire-africaine, culture et deuxième génération*.

« Les premiers courants migratoires du monde noir sont liés à la venue en France d'une main-d'œuvre bon marché. Ces travailleurs [...] se sont regroupés en foyers que j'appelle villages verticaux. La ruralité de ces populations a rendu plus ardue leur imprégnation au modèle français. [...] Puis il y a eu le regroupement familial. Aujourd'hui, les enfants sont au cœur de la problématique. Les enfants des Polonais et des Portugais, eux, étaient protégés par leur aspect physique, des comportements vexatoires. [...] Nous revendiquons pour les enfants d'origine noire-africaine le même anonymat, le droit au succès et le droit à la bêtise aussi. Nés en France, nourris au lait de l'école républicaine et au suc aigre-doux des médias, ils ont une colonne vertébrale culturelle française. [...] **Le CRI** [Cercle de Réflexion sur l'Intégration : association que je présidais et qui avait organisé le colloque] **se bat pour une politique contractuelle de l'intégration** et la création des commissions locales de l'intégration[56]. »

Certains, dans la gauche bien-pensante, regrettèrent que l'on m'ait offert une tribune pour débiter des horreurs et dirent que j'étais frappé du fameux syndrome de l'autobus. Ce syndrome est le comportement des immigrés intégrés ou des minorités raciales (antillaises) qui ne veulent pas voir accueillir d'autres immigrés sur le territoire, tout comme le dernier passager à monter dans un autobus bondé aux heures de pointe, signifie à ceux qui sont encore dehors, qu'il n'y a

---

56. Le journal *Le Jour*, n° 2, samedi 15 et dimanche 16 mai 1993.

IX - Je suis noir et je me soigne

plus de place. On dit souvent que les contremaîtres portugais sont plus racistes sur les chantiers que les Français ; que les Antillais n'aiment pas les Africains de France, non seulement à cause du contentieux ancestral , mais parce que l'accroissement de la négrité en France a entraîné des problèmes et un regain de ségrégation dont ils sont eux aussi victimes.

À cause de mon exigence de contractualisation de l'intégration – informer l'immigré sur les modèles locaux et l'exhorter vivement et clairement à les respecter, sur la base d'un contrat social –, quelqu'un m'a demandé si j'exigeais que, pour venir en France, les immigrés aient le bac. Je n'ai pas dit cela tout simplement parce que je n'y avais pas pensé. Je suis entièrement favorable à la libre circulation des hommes ; chacun devrait pouvoir choisir son lieu de vie sans qu'on le considère comme la *misère du monde*. Mais tout homme doit préparer son voyage, s'accommoder aux exigences de son milieu de vie et non le contraire. Si les Bédouins du Sahara vont s'installer au pôle Nord, la banquise ne va pas se transformer en désert. Ce sont eux qui vont devoir s'adapter à la banquise. Ainsi, un minimum de capacité d'adaptation préalable à l'immigration dans un pays d'accueil est un plus, hautement appréciable. Et vu sous cet angle, le bac, cela a toujours beaucoup aidé. À titre comparatif, les diplômés africains sont très facilement intégrés au Canada et n'y souffrent pas de ségrégation. Ils sont respectés et occupent des postes de haut niveau intellectuel. Mais rassurez-vous ! Comme l'être humain a toujours besoin de son subalterne, au Canada, les Africains ont obligeamment laissé cette place aux Haïtiens.

Et quoi qu'en pensent les exégètes de la langue de bois, les pseudo-amis des Noirs comme on est ami de gorilles que l'on veut maintenir dans leur substrat naturel, les thuriféraires anachroniques de la culture ambulatoire et transposable partout à l'identique, les hypocrites de tous bords, *être immigré, ça se mérite*. En France, en Chine, au Congo, au Sénégal, en Patagonie, en Papouasie, par l'effort que l'on fait pour s'adapter. Et je dis solennellement que le discours de

Chirac sur les couleurs, les odeurs et les familles pléthoriques sur le palier d'un immeuble social français, n'était choquant que parce qu'il intervenait dans un contexte électoral d'appel de pied aux extrémistes de droite. Sinon, quoi de plus normal que de demander à l'étranger de (et surtout de l'aider à) s'adapter en respectant les règles de voisinage et le modèle familial conforme à la société locale? Être immigré, ça se mérite par les apports qui enrichissent le pays qui a bien voulu vous accueillir. Je me félicite d'avoir de la constance dans les idées là où beaucoup ont été frappés, eux, du syndrome de la girouette et de l'amnésie électoral.

Plus que jamais, je soutiens donc une démarche contractuelle d'intégration et son support, la *discrimination positive*. Je souhaite de toutes mes tripes de Noir, père de Black malgré lui et de marron-clair et fier de l'être, que les politiques s'en donnent des moyens au-delà des effets de discours. Ce sont ces moyens que je voudrais proposer.

L'apprentissage du français
Nous commencerons par l'apprentissage du français pour les primo-arrivants. Ici, la désignation primo-arrivant englobe toutes les personnes qui ne parlent pas la langue française, peu importe la durée du séjour sur le territoire. Si après dix ans en France, on ne parle pas français, on est quasiment au même stade de non-intégration que le primo-arrivant. Cet apprentissage est donc nécessaire. Il peut être organisé par plusieurs institutions au contact de ces publics, notamment les Caisses d'Allocations Familiales, pour les femmes en âge de procréer qui viennent déclarer une grossesse. Cette formation doit conduire à la maîtrise du français basique. Mais surtout, on appliquera une méthode FLE[57] adaptée à la circonstance, c'est-à-dire, permettant en même temps d'acquérir des éléments de connaissance du fonctionnement des institutions et des règles fondamentales – droits et devoirs – de la société

---

57. Comme le pense Bernard Bragard, ancien maire, il est impropre de parler de français langue étrangère. Je propose donc que l'on dise français langue d'usage.

IX - Je suis noir et je me soigne

française. Nul n'est sensé ignorer la loi, pas même le primo-arrivant. Il faut donc l'initier.

Quant aux petits sorciers intello-suicideurs-naufrageurs qui voulaient que l'on adapte la loi française aux immigrés jugés inférieurs parce qu'incapables de comprendre ce que les Français comprennent, j'ose espérer que cette crypto-race fondamentalement raciste, qui faisait l'éloge de la polygamie, est à jamais éteinte. Mais s'il en reste quelques spécimens dans les recoins des amphithéâtres ou des laboratoires de sociologie, d'ethnologie ou d'anthropologie, et dans les replis de la République, qu'ils se suicident ou se taisent à jamais.

Le diagnostic

Il convient d'établir un diagnostic fin pour déterminer les dysfonctionnements causés ou subis par les populations issues de l'immigration. Pour cela, on fera un recensement dans les quartiers et les écoles hébergeant ou accueillant une forte population immigrée. Les populations seront classifiées selon les critères suivants : nationalité d'origine, espace social d'origine – rural ou urbain –, niveau d'instruction scolaire, durée de séjour en France, catégorie socioprofessionnelle. Les communes et les cités en Contrat Ville peuvent servir de territoire d'expérimentation.

Ce diagnostic établi, on s'appliquera à mesurer la relation entre les groupes ainsi définis et les dysfonctionnements observés dans la société, avec pour unique objectif de travailler à les gommer. Évidemment, j'entends déjà la levée de bouclier et le cliquetis des armes dressés contre ce flicage que je préconis. Parce que c'est ainsi que tout a commencé pour les juifs sous Hitler et Vichy, parce que des personnes mal intentionnées pourraient exploiter de telles statistiques. Pensez-vous réellement qu'un xénophobe fou qui veut exterminer les Noirs ou les Maghrébins a besoin de ces chiffres pour savoir qu'il doit lâcher sa bombe à Château-Rouge et non au marché de Brive-la-Gaillarde ? Croyez-vous que si le gouvernement veut se vichyser, il a besoin des statistiques pour cela ?

La France ne peut pas accepter la classification selon des critères raciaux puisque tous les hommes seraient beaux et égaux. *Il est ridicule et irresponsable de penser que tous les hommes sont beaux et égaux dans la France d'aujourd'hui, de penser que la carte nationale d'identité française gomme à jamais les perceptions et les comportements que ces percep-tions véhiculent de part et d'autres, de croire que c'est un hasard ou une fatalité si la jeunesse dans les prisons de la région parisienne est majoritairement issue de l'immigration africaine, de croire que les Tarterêts ou les Minguettes sont des quartiers de la planète Mars et des générations spontanées et non des ghettos organisés, de refuser de se donner les moyens de connaître cette population à travers une étude fine.* Ce que je demande ici, c'est de mettre fin à l'hypocrisie de la pseudo-égalité raciale à laquelle nous ne sommes pas encore parvenus, et de se donner les moyens de la mettre en place en aidant les publics en retard, à y accéder. Et com-ment les aiderait-on sans les identifier ?

Le diagnostic ainsi établi permettra de lutter contre les dysfonctionnements dans les trois secteurs suivants : école, logement et ordre public.

L'école
L'immigration, dit-on, affaiblit le niveau scolaire. Parfois, on ne le dit pas et c'est plus grave parce le silence devient assourdissant de sous-entendus et les sous-enten-dus entraînent des comportements inavouables. Il est évi-dent que la concentration des enfants en difficulté dans les mêmes écoles rend plus difficile la tâche des enseignants.

Malgré toute la bonne volonté et les incitations finan-cières pour fixer les enseignants expérimentés dans ces sec-teurs scolaires, les résultats se font attendre. Peut-être fau-dra-t-il un jour recourir au *busing*[58], pour disséminer sur le territoire, les enfants qui rencontrent des difficultés scolaires

---

58. Le *busing* est un système qui avait été mis en place aux États-Unis pour sortir des ghettos les enfants noirs et les scolariser loin de leurs quartiers, afin de lutter contre la concentration des diffi-cultés. Ce mot vient de ces bus qui venaient les prendre chaque matin.

du fait de l'origine sociale ou culturelle de leurs parents, et qui sont aujourd'hui concentrés dans les mêmes écoles. En attendant de mettre en place ce dispositif, quelles solutions intermédiaires peut-on trouver?

La diminution du nombre d'élèves par classe, l'aide apportée par les personnels auxiliaires de l'enseignement, l'aide aux devoirs, tous ces outils assurent une contribution inestimable à l'amélioration des résultats scolaires. Cependant, ils restent limités, compte tenu de la problématique.

Il existe aussi un élément symbolique très important. Le discours des enseignants sur les cultures d'origine des enfants scolarisés est totalement déplacé au sein de l'école républicaine et crée un profond malaise. Je m'oppose à ce que l'Éducation Nationale tienne compte des cultures d'origines des élèves, parce que cette prise en compte est impossible, mais aussi parce qu'elle n'a pas lieu d'être pour quatre raisons. Elle est ségrégative et infériorisante puisqu'elle ne concerne que les immigrés jugés subalternes ; ce n'est pas le rôle de l'Éducation Nationale ; aucun enseignant n'est sensé connaître les dizaines de cultures composant ses classes ; il appartient aux parents de parler de leurs origines à leurs enfants s'ils le veulent et d'autres espaces sociaux – les associations spécialisées – peuvent y suppléer en cas d'incapacité des parents, mais jamais l'école républicaine, lieu d'apprentissage et d'ancrage de l'égalité et de la fraternité, de l'uniformisation.

Il est inutile de se bercer d'illusions et tout le monde sait que la solution pour améliorer les résultats scolaires et la qualité de l'enseignement, passe par la non-concentration des familles en difficulté d'intégration et ceci ne peut se faire qu'à travers une politique d'attribution de logements moins pernicieuse que ce que l'on observe aujourd'hui.

Le logement

Je rejoins entièrement le point de vue de Georges Lançon et Nicolas Buchoud.

« Étonnant d'observer avec quelle application la société tout entière s'interdit de poser les diagnostics fondamentaux qui devraient être à la base de la définition des besoins des quartiers d'habitat social. À propos du thème très classique des comportements des populations migrantes et de leurs difficultés d'insertion, un interdit collectif nous fait éviter de poser la question. Nous comprenons les risques d'une utilisation malveillante du critère d'origine ethnique, mais pourquoi suspecter le monde HLM de ne pas accueillir les étrangers alors que la plupart d'entre eux sont logés sur nos patrimoines ? Sanctionnons les coupables s'il y en a, mais ne paralysons pas l'ensemble de la profession qui a besoin d'analyses pour éclairer son action. En effet, comment répondre correctement à une situation que nous ne savons pas nommer, décrire, qualifier et quantifier. Comment conduire les actions justes et efficaces si nous ne sommes pas capables de faire les évaluations préalables ? Le débat politique qui devrait servir de creuset au diagnostic collectif n'a pas investi ce champ, politiquement incorrect[59]. »

Juste un petit bémol à l'observation éminemment pertinente des auteurs. La principale critique formulée contre les bailleurs n'est pas le refus d'accueillir les populations migrantes dans le parc HLM, quoique certains manifestent des réticences *souvent largement justifiées* – d'où nécessité de diagnostic et de contractualisation. Ce que l'on critique est le mauvais accueil, la ségrégation spatiale entre les bons programmes pour bons locataires blancs et solvables, et les mauvais programmes dépotoirs pour ceux qui, en raison de leurs origines, n'ont pas beaucoup de choix. Ce sont ces attributions qui conduisent à la constitution parfois consciente et organisée des ghettos. Car il est difficile de faire croire au plus naïf et au plus fanatique supporter de bailleurs, que la dérive de certains quartiers s'est produite à leur insu. Pour avoir travaillé dans le domaine du logement

---

59. Georges Lancon, Nicolas Buchoud, *Ces banlieues qui nous font peur*, L'Harmattan, Paris, 2003, pp. 114-115.

social, je ne néglige pas les pressions et les malveillances de certains élus qui ont fortement contribué à la ghettoïsation, quand ils n'en sont pas les seuls responsables comme dans le cas des offices publics communaux ou départementaux.

Jacques Donzelot dit exactement la même chose[60]. En France, « la concentration, purement factuelle, des minorités ethniques dans les quartiers d'habitat social n'aurait ainsi, nous dit-on, rien à voir avec le mode de formation des ghettos aux États-Unis, dont on sait qu'ils résultent d'une fuite des Blancs à l'arrivée des Noirs... Rien effectivement ne permet le rapprochement entre les deux situations, sinon que les offices d'HLM semblent bien avoir recouru... à une pratique équivalente, celle d'un "sacrifice" d'une partie de leur parc, justement la plus enclavée ou excentrée, en y logeant méthodiquement la population immigrée, de façon à préserver l'attractivité de la partie restante pour une population de classe moyenne ».

S'il est vrai que les réticences des bailleurs sont souvent justifiées, s'il est vrai que l'on ne peut agir sur eux par une démarche de donnant, donnant, il devient donc indispensable de former les ménages à la vie en HLM pour en faire de bons locataires et enlever aux bailleurs toute raison objective de pratiquer la ségrégation, justifiée chez certains et abusive chez d'autres ; éradiquer les phobies, les fantasmes ou les stigmatisations de la majorité. Il convient de mettre en place des *suivis individualisés* pour organiser l'accueil de certains étrangers venant d'espaces socioculturels aux antipodes de la ville française. Ceci est le cas pour les populations rurales sahéliennes.

Ces populations qui n'ont pas été au contact de la ville, même africaine, viennent d'un espace où l'habitat est plan, horizontal – quelques cases de plain-pied –, où les fonctions résidentielles – espace de vie et de sommeil, espace de cuisson, espace « d'aisance » – sont bien séparées ; où la notion de produits d'hygiène est inexistante ; où l'on n'a jamais

---

60. Jacques Donzelot, avec Catherine Mevel et Anne Wyvekens, *Faire société*, Le Seuil, 2003, p. 41.

entendu parler de respect des règles de voisinage. La connaissance des principes du vivre-ensemble n'a jamais été infuse. On l'acquiert, comme on acquiert la connaissance de la loi locale, de la langue ou des mathématiques. Ils ne pourront l'acquérir que s'ils y sont aidés.

Il serait hypocrite ou naïf d'ignorer les jeux générés par la situation migratoire. Je voudrais parler de l'exploitation que certains migrants font des failles, des vides juridiques ou des zones d'ombre du système pour s'engouffrer de façon indue dans les dispositifs sociaux. Les pouvoirs publics, à l'image de la population, affichent souvent une fébrilité coupable. Que de fois je me suis entendu dire : « Si je fais ceci ou si je dis cela, on va me taxer de raciste. » La France ne se décomplexera et ne deviendra antiraciste que quand on n'entendra plus ce genre d'argument.

L'ordre public

Il s'agit ici des données de la police et de la justice. En région parisienne, dans les tranches d'âge juvéniles, les prisons sont majoritairement peuplées de personnes issues de l'immigration noire et maghrébine. Il en est de même pour les centres éducatifs fermés ou renforcés. On est en droit de se demander si certaines personnes ne se satisfont pas de cet état de fait. Il est indispensable de faire un diagnostic fin pour déterminer la cause du malaise qui conduit cette population à des extrêmes répréhensibles. En région parisienne aujourd'hui, la majorité des adolescents victimes et coupables de crimes de sang, de viol en réunion, de rackets, sont issus de l'immigration noire ou maghrébine. Aujourd'hui, la dégradation de la propriété privée et des transports publics et autres actes de vandalisme, les conflits avec les forces de l'ordre, les caillassages des cars de police, les effets des bandes, sont le fait des enfants d'origine africaine.

Il serait inhumain, malsain et mesquin de nous en satisfaire. Il est inhumain malsain, mesquin, contraire à la morale républicaine, de ne rien faire. Mais il serait inhumain, malsain et mesquin de ne pas se donner les moyens, de se priver du moyen essentiel pour lutter contre le fléau. Ce moyen incontournable, est accepter le constat de la réalité de cette délinquance et d'établir un diagnostic clair et précis pour trouver les causes et les solutions, même temporairement pénibles, aptes à sauver la jeunesse. Sinon, on est en droit de parler de refus d'assistance à personne en danger.

Aujourd'hui, la négritude en France est une *vraie* maladie, parce qu'elle est perçue comme telle ; parce qu'elle est vécue comme telle ; parce qu'elle est curable. Si nous ne l'éradiquons pas d'une manière ou d'une autre – métissage biologique forcé (mariages mixtes) ; métissage culturel (éducation) –, elle deviendra contagieuse. Pas la couleur de la peau mais quelque chose de beaucoup plus noir ! *La haine !* Et cette fois, ce ne sera pas du cinéma.

En guise de conclusion

Mon éditeur me communiquait récemment une découverte qu'il avait faite.

Au cours de la lecture d'un texte anglais, il tombe sur une expression qui lui paraît étrange : « *Niger on a wood pile.* » (« Un Nègre sur un tas de bois. ») Consultant son dictionnaire bilingue des formes idiomatiques, il découvre que cette expression correspond en français à l'« anguille sous roche ». Le génie des langues est tout simplement génial et peut-être révélateur, sinon délateur.

177

Pourquoi *l'anguille* française cachée *sous la roche* peut-elle devenir *le Nègre* des Anglais perché *sur un tas de bois*? Comment ce qui est supposé caché chez les Français, parce qu'énigmatique, sinon suspect (l'anguille sous la roche) peut-il être ainsi exposé chez les Anglais? Et quelle exposition? Pas posé sur l'herbe, mais juché sur un tas de bois! Pourquoi un Noir juché sur un tas de bois, même d'ébène, devient-il une énigme pour les Anglais?

Cette énigme mérite que les savants se penchent sur son cas. En attendant, j'en suis provisoirement arrivé à une déduction bien simple. Le Français doit sortir l'anguille noire de sous le rocher pour l'exposer bien en vue sur un tas de bois, pas pour en faire un bûcher, mais pour mieux le voir sous toutes ses coutures, les bonnes et les mauvaises, juste tel qu'il est. C'est ce que ce livre a voulu modestement proposer.

Cela fait une quarantaine d'années que les Noirs ont commencé à s'installer massivement en France. Il y a une vingtaine d'années, les effets du regroupement familial ont amorcé la sédentarisation des travailleurs immigrés. À la même période, de nombreux étudiants, piégés par le déclin des économies africaines, ont été contraints de rester en France. La déception de voir qu'ils n'allaient plus occuper les postes prestigieux au pays natal, comme ils l'avaient espéré, a totalement bridé la créativité de ces étudiants dont beaucoup se sont trouvés coincés dans les guérites de vigiles.

Le rêve du retour n'a pourtant pas disparu des têtes des travailleurs et des étudiants. Et le fait le plus significatif, et qui étrangement leur apparaît comme une énorme conquête, est qu'ils ont mis en place *une assurance rapatriement de corps*. Et ils en sont fiers comme des rois zoulous. Ils ont réussi à assurer leur retour au pays, sur la terre de leurs ancêtres. Les rapports d'activités des associations créées à partir des années 1980 sont devenus de véritables pages nécrologiques. On assiste à des scènes inimaginables : des spectacles inattendument, désespérément et iconoclastement jubilatoires, où l'on dénombre les corps que l'on a rapatriés au cours de l'exercice. De voir des jeunes pères de famille d'une trentaine d'années penser à leur mort et non à leur avenir et à celui de leurs enfants dans la société, est un spectacle insoutenable. Je n'oublierai jamais ce jour où un Blanc m'a tenu ce propos d'une importance capitale et d'une profondeur insondable : « Je saurai que les immigrés sont intégrés quand je verrai leurs tombes. »

Aujourd'hui, les choses ont évolué, mais des zones d'angoisse restent encore importantes. Ce sont ces zones d'ombre que j'ai voulu étaler par ce travail, exposer sur un tas de bois. Maintenant que le Noir a compris qu'il est appelé à s'installer dans la durée, est-il paré pour trouver sa vraie place au sein de sa nouvelle société ? A-t-il compris que si la guerre éclate, le sang de ses fils coulera pour la France et non pour son pays d'origine ? Peut-on être noir et tout simplement français ? Le racisme, réel souvent et supposé parfois, doit-il être un frein à la citoyenneté comme c'est le cas chez les Blacks ? Existe-t-il un espace de compromis (marron) qui permette au Noir d'être entièrement Français ? Que peut apporter le Noir à sa nouvelle patrie ? Que doit faire celle-ci pour l'accueillir ?

« Tout homme qui fait quelque chose a contre lui...
ceux qui font précisément le contraire et surtout la grande
armée des gens d'autant plus sévères qu'ils ne font rien du
tout. »

C'est un adage qui le proclame. J'ai donc voulu écrire
ce livre pour créer un débat aujourd'hui tabou ; pour
réveiller ceux qui ne pensent pas du tout ; pour émoustiller
ceux qui pensent (tout et) le contraire parce que c'est politiquement correct. Il concerne aussi bien les Blancs que les
Noirs qui tous s'y reconnaîtront ; et s'il permet l'éclosion de
ce débat franc, libre, égalitaire et fraternel que j'appelle de
tous mes vœux, il aura atteint son but au-delà de mes
attentes.

Citoyennement vôtre.

POST-SCRIPTUM : ANTICIPATION

Nous sommes en l'an 2100. Les choses ont énormément évolué du point de vue racial, notamment aux États-Unis. Suite à une véritable révolution des cycles, les Noirs occupent désormais les postes clés : présidence, vice-présidence, les plus grands ministères, la majorité des sièges au Congrès et la quasi-totalité des postes de gouverneurs d'État.

Dans l'un des plus grands hôtels de New York, se déroule le banquet annuel des présidents des cent plus importantes entreprises du pays. Bien entendu, ils sont tous noirs. À l'issue du repas, deux d'entre eux vont aux toilettes. Là, deux Blancs en salopette bleue sont en train de passer la serpillière en chantant le blues qu'ils rythment en tapant du pied sur le carrelage. Alors, l'un des présidents se penche vers son homologue et lui souffle :

« Mon cher, on peut penser tout ce que l'on veut de ces gens-là, dire qu'ils sont menteurs, fainéants, sales. Mais il faut reconnaître une chose, les Blancs, ils ont le rythme dans la peau. »

Dans la même collection

Mad Max Milo
www.maxmilo.com
dirigée par Ange-Matthieu Mezzadri
et Jean-Charles Gérard

Ici l'ombre…
Général de Gauche

Ego Trip
Luis de Miranda

Des cobayes, des médailles, des ministres
Jean-Paul Escande

Retraites : tout bouger pour rien changer
Didier Pène

Le tourisme va mal ? achevons-le !
Gerald Messadié

Les impostures de l'égalité
Paul-François Paoli

Putes d'Appellation Contrôlée
Gaby Partenza
en collaboration avec Lucile Richardot

Cahier de notes

Achevé d'imprimer en février 2004
dans les ateliers de Normandie Roto Impression s.a.s.
61250 Lonrai
N° d'impression : 04-0341
Dépôt légal : février 2004

Imprimé en France